Comment tirer profit des bouleversements de sa vie

Données de catalogage avant publication (Canada)

Haineault, Pierre, 1954-

Comment tirer profit des bouleversements de sa vie

ISBN 2-7640-0138-X

1. Changement (Psychologie). 2. Adaptation (Psychologie). 3. Satisfaction. 4. Affectivité. 5. Réalisation de soi. I. Titre.

BF637.C4H34 1997 158.1 C97-940473-8

LES ÉDITIONS QUEBECOR
7, chemin Bates
Bureau 100
Outremont (Québec)
H2V 1A6
Téléphone: (514) 270-1746

Bibliothèque nationale du Québec
Bibliothèque nationale du Canada
ISBN 2-7640-0138-X

Éditeur: Jacques Simard
Coordonnatrice à la production: Dianne Rioux
Conception de la page couverture: Bernard Langlois
Photo de la page couverture: John Labbé / The Image Bank
Révision: Jocelyne Cormier
Correction d'épreuves: Francine St-Jean
Infographie: Composition Monika, Québec
Impression: Imprimerie L'Éclaireur

Pierre Haineault

Comment tirer profit des bouleversements de sa vie

Introduction

Ces bouleversements qui vous effraient

Vous rêvez d'une vie calme et paisible où tout ne serait qu'ordre, beauté, luxe, calme et volupté, pour citer le poète Baudelaire. C'est non seulement normal, c'est aussi, probablement, le rêve que nous entretenons tous. Mais voilà, tout cela relève beaucoup plus du rêve que de la réalité car, dans la plupart des cas, le quotidien que nous vivons est bien différent de la vie dont nous rêvons. Alors, si vous vous reconnaissez, ne craignez rien: vous n'êtes pas une exception!

Une personne seule pourra rêver de trouver un partenaire pour meubler sa vie, mais une personne engagée dans une vie de couple pourra rêver, elle, de se retrouver seule; une personne ayant des problèmes financiers imaginera qu'une plus grande aisance financière serait la solution à tous ses problèmes, mais une autre, à l'aise financièrement, rêvera, elle, de moins de responsabilités, de moins de stress, d'une meilleure qualité de vie. Nous pourrions ainsi poursuivre pendant des pages sur nos malaises, nos ennuis et leur contrepartie, nos rêves; sur le quotidien qui est le nôtre et celui dont nous rêvons.

En ce sens, il faut bien l'admettre, sauf de rarissimes exceptions, nous sommes tous des éternels insatisfaits. Surtout, nous ne savons pas comment profiter de ce que nous avons et tirer profit de tous ces bouleversements auxquels nous sommes confronté dans notre vie.

Disons-le, nous vivons aujourd'hui en accéléré. La société nous oblige à composer avec des changements constants et rapides; les certitudes d'hier n'existent plus. Si ces points d'ancrage ont permis à nos parents et à nos grands-parents de mener une existence sinon paisible, tout au moins heureuse et satisfaisante, le «mode d'emploi» qu'ils ont essayé de nous transmettre pour aborder la vie et faire face à ses vicissitudes ne peut donc plus, maintenant, nous servir de référence. Il nous faut ainsi, en quelque sorte, nous réinventer une nouvelle approche, trouver une ou plusieurs façons de profiter *vraiment* de la vie.

Le mot clé de cette nouvelle approche, c'est l'adaptation.

Nous courons continuellement d'un endroit à l'autre, d'une «affaire» à une autre; nos journées sont longues (et pourtant toujours trop courtes, disons-nous!) et nos périodes de repos, trop brèves. Nous ressemblons, en ce sens, au lapin blanc d'*Alice au pays des merveilles*, de Lewis Carroll, ce lapin qui avait toujours l'air pressé et inquiet d'être en retard, qui s'agitait constamment en regardant perpétuellement sa montre et en répétant sans cesse: «Tant de choses à faire et si peu de temps...» Il semble que nous vivions tous un peu de cette façon aujourd'hui, car cette frénésie caractérise bien des aspects et bien des domaines de la vie moderne, de la façon de nous alimenter à celle d'aborder les questions scientifiques! Même ce que nous avions appris à considérer comme des valeurs sûres ne semble plus aussi solide, aussi inébranlable.

L'inconnu qui effraie

Le changement fait partie intégrante de notre vie. En effet, il suffit de regarder autour de soi pour constater le mouvement du temps, le jour qui succède à la nuit, la ronde des saisons, la fin d'une année scolaire, l'arrivée des vacances annuelles, un enfant qui grandit... Ces changements sont constants, mais, comme ils nous sont aussi familiers, nous n'y prêtons plus attention, nous ne les sentons pas menaçants et nous les considérons, par conséquent, comme naturels, normaux.

Les changements ne sont finalement que des modifications à une situation donnée; par contre, les bouleversements surviennent subitement et altèrent radicalement notre réalité tout en provoquant des sentiments violents. En d'autres mots, les bouleversements sont des changements brutaux et inattendus pour l'individu qui est appelé à les vivre. Si, en règle générale, l'être humain s'accommode assez facilement des changements connus ou prémédités, il en va tout autrement des bouleversements qui ne s'annoncent pas et qui nous placent en conséquence en porte-à-faux. Ce qui nous fait ainsi réagir remonte aussi loin qu'à l'arrivée des premiers hommes sur la terre et au fait qu'ils sont rapidement devenus des créatures d'habitude. Nous le sommes resté.

Les scientifiques ont réussi à décortiquer le mécanisme à l'origine de ces réactions. Ainsi, on sait que la partie de notre cerveau qui régularise les fonctions physiologiques dites involontaires, comme les battements de notre cœur ou notre respiration, est également responsable de nous fournir la toute première stratégie pour notre survie. C'est ce qu'on appelle la répétition. Si l'on fait quelque chose qui nous permet de survivre adéquatement, cette partie de notre cerveau nous incitera à répéter les mêmes actions afin d'assurer de nouveau ce *succès*. Si nous ne possédions que ce cerveau rudimentaire, nous serions condamné à répéter les mêmes actes tout au long de notre existence. Répétition = sécurité = survie. C'est peut-être suffisant pour un animal, mais il est douteux qu'un être humain s'en satisfasse et y trouve l'épanouissement.

Cependant, nous avons tous besoin de sécurité. Une fois que nous avons obtenu l'assurance de subvenir à nos besoins, nous nous installons dans une routine plus ou moins agréable, mais sécurisante. Il en va de même pour tous les aspects de notre vie.

Vous en doutez? Examinez soigneusement votre entourage, vos connaissances, vous-même. Combien conservent un travail qui leur déplaît pour la seule sécurité d'un chèque de paie à la fin de la semaine? Combien s'enlisent dans une relation conjugale morne pour ne pas connaître la solitude? Combien rêvent de faire autre chose et ne se décident jamais, car cela les obligerait à renoncer à ce qu'ils connaissent? Les exemples ne manquent pas. Nous avons tous des habitudes qui nous permettent de nous sentir en sécurité.

Le meilleur exemple pour illustrer ce propos est celui des enfants. On s'étonne toujours de constater à quel point les enfants sont conservateurs, comment, *a priori*, ils réagissent négativement à tout changement qui modifie leur environnement ou leur entourage. Cela devient toutefois plus facile à comprendre lorsqu'on pense à l'équation répétition = sécurité. Cependant, une fois le premier choc passé, les enfants font preuve d'un sens de l'adaptation aussi étonnant que prodigieux, et ils sont alors prêts à accepter ces changements qui, de prime abord, les inquiétaient.

Cette faculté d'adaptation, si remarquable chez les enfants, s'amenuise toutefois avec le temps. C'est tout à fait normal car, en tant qu'adulte, nous devons nous installer dans la vie, fonder un foyer, nous intégrer à la société. Heureusement, cette faculté d'adaptation ne disparaît pas complètement. Nous disons heureusement car, comme nous l'avons remarqué précédemment, notre société est confrontée à des changements continuels; il nous faut, pour survivre, les accepter et nous y accommoder, tout en conservant une base solide, un espace sécurisant où nous pouvons répéter certaines actions, jour après jour, pour ainsi nous sentir en sécurité.

L'être humain s'accommode donc relativement bien de notre époque en constante mutation, à condition, évidemment, de pouvoir conserver des acquis, des constantes qui ne changent pas et qui lui permettent de conserver son équilibre. Selon chaque individu, ces assises peuvent varier, aller du plus simple au plus extravagant. Pour certains, il s'agira d'une vie familiale heureuse; pour d'autres, d'une résidence confortable ou d'une voiture luxueuse. Pour d'autres encore, le point de repère sera encore différent. En fait, chacun de nous aura ses propres besoins.

Chapitre 1

Que sont les bouleversements?

Qu'est-ce qu'un bouleversement et pourquoi le craignons-nous? C'est simple: un bouleversement nous fait perdre contact avec nos points de repère; il déséquilibre notre environnement et nous fait perdre pied. C'est un changement radical dans notre environnement ou notre vie.

Il existe essentiellement deux types de bouleversements. Les voici.

Les bouleversements physiques. Qu'ils soient d'ordre physique ou physiologique, ils sont inévitables.

Le premier dont nous sommes vraiment conscient, l'adolescence, est un changement on ne peut plus radical sur le plan du corps et de l'esprit. D'ailleurs, lorsqu'on aborde ce sujet, n'évoque-t-on pas immanquablement la fameuse crise de l'adolescence qui constitue le passage inévitable conduisant à la vie adulte? Un second changement en ce qui a trait au corps est la ménopause. C'est un bouleversement significatif, car tout l'équilibre hormonal de la femme se transforme à ce moment-là. L'arrêt des fonctions de reproduction marque une phase très importante chez la femme; si celle-ci refuse l'idée de vieillir, et disons que notre société ne nous encourage pas en ce sens, cela peut constituer un véritable drame, un traumatisme sévère. Le pendant masculin de la ménopause, l'andropause, peut également constituer un bouleversement important chez l'homme.

L'adolescence, la ménopause et l'andropause s'avèrent donc des changements radicaux auxquels personne n'échappe; ils sont programmés dans nos cellules, et nous devons passer par ces étapes. Mais il existe d'autres bouleversements physiques qui peuvent survenir à notre corps et à notre santé. Que l'on pense simplement à la grossesse, à l'enfantement, qui bouleverse tant l'univers de la femme que celui de l'homme qui devient père.

Dans un autre ordre d'idées s'inscrivent les problèmes de santé, comme le diabète, qui nécessitent un ajustement radical de son style de vie. Certaines maladies, la sclérose en plaques par exemple, peuvent signifier des changements définitifs à son rythme de vie et à ses habitudes. Il en existe beaucoup d'autres. Certaines formes de cancer sont aujourd'hui traitables, mais demandent souvent un long et pénible traitement. Et que dire des accidents qui peuvent nous handicaper pour le reste de nos jours.

Les bouleversements sociaux. D'autres bouleversements peuvent survenir sur le plan social. Le mariage, par exemple, est tout un changement. Partager sa vie avec quelqu'un dans une intimité totale n'est pas toujours facile. Cela exige une période d'ajustement, et la transition n'est pas toujours simple. Le divorce est aussi un bouleversement très important: il est souvent traumatisant et une cascade de changements s'ensuivent.

La perte de son emploi, de son statut social ou de son autonomie financière peut aussi être une cause de bouleversement. Toutefois, un événement qui constitue un bouleversement pour l'un n'en constitue pas nécessairement un pour l'autre. Tout est question d'environnement, d'entourage, de besoins personnels. Bref, nous sommes seul juge de ce qui constitue un bouleversement à nos yeux.

Les bouleversements et la peur

Comme nous l'avons déjà souligné, un bouleversement est un changement subit et radical qui transforme des aspects de notre existence. Le plus souvent, un changement en entraîne d'autres à sa suite, un peu comme une cascade.

Lorsque survient un bouleversement, nous sommes subitement confronté à l'inconnu; nous perdons ainsi le contrôle de notre univers. Rappelons-nous l'équation : répétition = survie. Personne n'y échappe, mais ce n'est que lorsque nous sommes coupé de cette réassurance que nous en ressentons viscéralement toute l'importance.

En d'autres mots, nous craignons le bouleversement parce qu'il équivaut à tomber du haut d'une falaise sans savoir ce qui nous attend ni comment nous nous en sortirons. C'est comme prendre place dans les montagnes russes sans pourtant quitter notre fauteuil; tout à coup, notre respiration s'accélère, notre pression sanguine augmente, nous ressentons des palpitations, une sensation de vertige, parfois même des nausées : que va-t-il se passer, qu'est-ce qui va nous arriver ? C'est comme marcher sur un fil de fer sans filet : un seul faux pas et c'est la chute.

Apprenez à vous connaître

ÊTES-VOUS CAPABLE D'AGIR ?

Sans doute vous êtes-vous déjà demandé comment agir ou réagir dans telle ou telle situation. Eh bien, c'est justement cette capacité d'agir qui nous aidera à transformer un bouleversement qui survient dans notre vie en événement favorable. Découvrez, à l'aide de ce premier test, si vous êtes capable de réagir positivement lorsque les bouleversements surviennent et d'en tirer profit.

1. Habituellement :

a) vous êtes capable de prendre rapidement des décisions importantes ;

b) vous aimez demander conseil avant d'agir ;

c) vous tergiversez longtemps avant de vous décider.

2. Un événement inattendu se produit :

a) vous vous sentez démuni ;

b) vous réagissez promptement ;

c) vous vous accordez un temps de réflexion, puis vous agissez.

3. Une situation critique se présente :

a) vous détestez être dans votre position ;

b) vous agissez au mieux de vos connaissances ;

c) vous aimez être confronté à des défis.

4. Au jour le jour, vous aimez :

a) un peu de routine, mais aussi un peu d'imprévu ;

b) la paix, la quiétude d'esprit;
c) tout ce qui est aussi inattendu qu'étonnant.

5. Vos proches vous décrivent:

a) plutôt dictatorial;
b) une main de fer dans un gant de velours;
c) une bonne nature.

6. Vous vous lancez dans quelque chose de nouveau:

a) vous êtes débordant d'énergie;
b) vous êtes un peu inquiet;
c) vous cherchez la meilleure façon possible d'arriver au résultat.

7. Vous avez un objectif précis à atteindre:

a) vous avez du mal à l'atteindre;
b) vous l'atteignez parce qu'il le faut;
c) vous atteignez toujours vos buts, quels qu'ils soient.

8. Vous avez à planifier un travail de groupe:

a) vous vous sentez dans votre élément;
b) vous êtes à l'aise si vous sentez les atomes crochus avec les autres;
c) vous préférez travailler seul.

9. Pour vous, une personne efficace se juge par:

a) sa logique;
b) son action;
c) son énergie.

10. Vous faites une activité, mais vous êtes soudainement obligé de l'interrompre:

a) cela arrive;

b) vous accordez l'attention nécessaire à ce dont vous êtes obligé de vous occuper;
c) vous faites ce que vous avez à faire, puis vous revenez à votre tâche initiale.

Entourez vos réponses dans la colonne correspondante et accordez-vous le nombre de points indiqué.

	3 points	2 points	1 point
1.	a	b	c
2.	b	c	a
3.	c	b	a
4.	c	a	b
5.	a	b	c
6.	a	c	b
7.	c	b	a
8.	a	b	c
9.	b	c	a
10.	c	b	a

Si vous avez obtenu 21 points et plus:

Vous êtes en mesure de réagir promptement face aux gens et aux événements. L'inattendu et le changement ne vous effraient pas; au contraire, ils vous permettent de donner le maximum de vous-même. En fait, c'est dans l'action que vous réagissez le mieux et êtes le mieux en mesure de concrétiser les idées ainsi que les projets que vous avez en tête. En d'autres mots, vous savez saisir les occasions lorsqu'elles passent. Vous avez beaucoup d'imagination, et cela vous sert aussi puisque, quoi qu'il arrive, vous réussissez à trouver une issue. Il y a cependant un envers à cette médaille: lorsqu'il ne se passe rien, vous avez tendance à vous morfondre et, parfois, à provoquer des situations qui, alors, ne tournent pas toujours à votre avantage. Pour éviter de devenir obsessionnel lorsque rien de particulier ne se passe dans votre vie, vous devriez apprendre à en tirer profit et à refaire le plein d'énergie pour être en mesure de passer à l'action lorsque cela redeviendra nécessaire.

Si vous avez obtenu de 11 à 20 points:

Vous êtes capable d'agir dans de nombreuses situations, mais vous avez besoin d'un certain nombre de préalables: vous sentir appuyé, entouré de gens en qui vous avez confiance, être en forme aussi. Quand les conditions sont réunies, vous êtes en mesure d'agir assez rapidement et de façon claire, car vous savez où vous allez, vous connaissez les buts que vous visez. Dans ces conditions, vous jouissez d'un bon équilibre entre la réflexion et l'action. Cependant, il arrive que la situation se complique, notamment lorsque survient un bouleversement. En effet, à ce moment-là, vous ne maîtrisez pas totalement toutes les données. Alors, vous vous sentez un peu dépassé par les événements et avez tendance à confier le pouvoir de décision aux autres. Prudence!

Si vous avez obtenu moins de 11 points:

Dans les périodes de bouleversements ou de simples changements, vous avez de la difficulté à agir. Vous avez tendance à tergiverser, à ne pas vous décider, sans doute parce que vous vous sentez privé de moyens et que vous craignez de ne pas prendre la bonne décision. Vous auriez intérêt à agir avec plus de promptitude lorsque les événements vous obligent à l'action. Dites-vous que vous n'avez le choix qu'entre deux décisions: la bonne et la mauvaise. Si vous ne vous décidez pas, vous pouvez être convaincu que c'est la mauvaise qui sortira. Mais, rassurez-vous, vous pourriez utiliser de meilleure façon votre capacité d'agir. Elle est en vous, mais elle reste inexploitée.

Chapitre 2

Maîtriser sa peur pour mieux affronter la réalité

Les bouleversements nous entraînent immanquablement vers un malaise. Sentir que l'on perd le contrôle de sa vie, que tout tourne autour de soi et qu'on ne peut arrêter ce mouvement est incontestablement désagréable. C'est alors qu'entre en jeu une sorte de paralysie, une difficulté d'agir qui s'appelle la peur.

« La peur est un phénomène psychologique à caractère affectif marqué, qui accompagne la prise de conscience d'un danger réel ou imaginé, d'une menace. » (*Le Petit Robert*) Sur le plan concret, la peur est la force négative qui nous paralyse lorsque nous sommes devant une situation que nous ne pouvons contrôler ou que la solution nous semble hors de notre portée ; c'est l'instant précis où nous tombons dans le vide, où le *monstre* enfonce la porte pour nous saisir. Au cinéma, c'est l'instant où l'héroïne ouvre la bouche pour hurler sans qu'un seul son puisse s'échapper, où le héros s'aperçoit que son pistolet est vide.

La peur, c'est aussi, et surtout, le signal qui nous avertit que nos acquis sont en danger, que nos valeurs ou les assises de notre vie sont menacées, que toutes les choses sur lesquelles nous avions érigé notre vie, notre sécurité, sont remises en question.

Prenons, par exemple, le cas d'un homme auquel on annonce qu'à la suite d'un accident de voiture, des dommages irréversibles à la colonne vertébrale l'empêcheront de marcher. Il n'est pas difficile d'imaginer le choc que subit cet homme lorsqu'il apprend qu'il perd une bonne part de son autonomie. Que lui reste-t-il alors?

C'est là qu'entre en jeu la peur: elle en vient à dominer chaque pensée, chaque parole.

L'univers de cet individu vient de s'effondrer, et il est envahi par le sentiment que jamais plus il ne se sentira en contrôle de sa vie, en sécurité; jamais plus il n'aura l'occasion de s'accomplir, de faire quelque chose. Son existence est bouleversée; ses assises, ses points d'ancrage n'existent plus. Pour cet homme, c'est l'écroulement de son univers; c'est la fin du monde, la fin du monde qu'il *connaissait*, dans lequel il se sentait à l'aise, en contrôle. Qui peut le blâmer de ressentir ces sentiments, ces émotions?

Le même genre de situation peut se produire lors de diagnostics reliés au cancer ou à d'autres maladies qui, aujourd'hui, peuvent être traitées et ne signifient plus nécessairement un arrêt de mort.

Le plus grand obstacle, et le plus difficile à surmonter, n'est probablement pas l'événement en tant que tel, mais plutôt la peur qui s'ensuit, qui l'enrobe, qui le paralyse et qui l'empêche de voir l'issue qui peut être favorable.

Nous avons parlé, ici, d'une victime d'un accident. Toutefois, certaines maladies entraînent des conséquences similaires. En effet, il existe quantité d'autres «accidents» auxquels nous pouvons être confronté. Le divorce, par exemple, peut engendrer la peur et empêcher une personne de contrôler ses faits et gestes, tout comme la perte d'un emploi ou un revers de fortune.

La fin d'un univers, il faut bien le comprendre, peut se jouer sur de nombreux tableaux.

Vaincre sa peur et son sentiment d'impuissance

De prime abord, il peut paraître impossible, voire utopique, de vaincre sa peur et son sentiment d'impuissance. Ce n'est certes pas facile, mais c'est possible. Comment?

Le premier pas consiste à accepter la situation, et ce, quelle qu'elle soit; il faut l'accepter non pas comme un châtiment, mais comme une réalité qui s'impose à nous. Cette acceptation, si douloureuse soit-elle, est un pas incontournable. Il n'est pas question ici d'écarter l'événement d'un revers de la main ou encore de pavoiser, de faire la fête, car ce serait minimiser l'importance de ce qui se passe et aussi, du même coup, nier la réalité.

Un des plus grands problèmes qui puisse survenir est en effet la négation de ce qui se produit dans la vie de l'individu. Prenons l'exemple d'une femme de 40 ans, confrontée à la ménopause. Ce changement hormonal, survenant bien avant l'âge prévu, la prend à l'improviste et, sans qu'elle connaisse les tenants et les aboutissants, sans qu'elle sache quelle attitude adopter, fait en sorte qu'elle se sent menacée dans sa féminité et dans son affirmation. Ce sentiment, exacerbé par la métamorphose de son organisme, par l'impression d'un vieillissement prématuré, par certains effets et contre-effets de la médication, lui fera maudire cette étape de sa vie et renforcera inconsciemment certains comportements négatifs.

Cela aura aussi pour conséquence de lui faire ignorer certains symptômes anodins qui dégénéreront jusqu'à causer de l'irritabilité, de l'exaspération et de la colère.

Ce bouleversement aurait pourtant pu être vécu autrement. Il l'est d'ailleurs dans de nombreux cas, où la femme perçoit la ménopause comme un élément libérateur, la perspective d'une nouvelle vie au cours de laquelle elle peut dorénavant se consacrer à s'occuper d'elle. En effet, les enfants ont quitté la maison, le conjoint est à la veille de la retraite, elle a plus de temps pour ses loisirs; bref, c'est l'occasion de profiter pleinement de la vie.

Mais cette autre façon de vivre les choses n'est rendue possible que s'il y a acceptation de l'événement, du bouleversement. Cela ne signifie pas, bien entendu, de cesser tout effort pour changer la situation, mais cela implique plutôt qu'il faille regarder la situation en face et, en gardant un esprit ouvert, observer les conséquences.

Il faut aussi évaluer le plus objectivement possible l'étendue de ces changements. Dans le cas précédent, la femme doit, par exemple, comprendre qu'aucune femme n'échappe à cette réalité; elle doit aussi regarder autour d'elle celles qui ont vécu ce bouleversement et qui ont réussi à en tirer profit pour améliorer leur qualité de vie. À la suite d'un divorce douloureux, pour prendre un autre exemple, il faut que la personne se rende compte qu'elle n'est plus mariée, qu'elle ne fait plus partie d'un couple, mais que cette situation ne l'empêche pas d'avoir une vie heureuse et profitable. Dans le cas de l'homme à qui l'on apprenait qu'il ne pourrait plus marcher, il doit naturellement accepter ce fait. Cela ne veut pas dire que la situation ne changera pas – la médecine fait parfois des miracles – mais, pour l'instant, il ne peut plus marcher. Il peut cependant faire autre chose.

Toutes ces personnes confrontées à un bouleversement voient leur existence chavirée. Une alternative s'offre à elles: soit nier le changement, le subir et le souffrir, soit l'accepter et apprendre à en tirer profit.

Alors, quel est votre choix?

Faire le deuil et accepter la nouvelle réalité

Cependant, avant d'apprendre à tirer profit d'un changement subit, nous devons faire le deuil de la situation précédente ou même, dans certains cas, de notre existence. Cette thérapie, recommandée par de nombreux spécialistes, psychologues et psychiatres, vise à nous permettre de faire la paix avec nous-même, à retrouver la sérénité et ainsi à pouvoir voir la vie différemment.

Le bouleversement qui est survenu dans notre existence a incontestablement des conséquences, et la sévérité de celles-ci peuvent varier d'un cas à l'autre, d'une personne à l'autre. Ce qui est sûr, c'est que notre ancien mode de vie est remis en question; certains acquis, certaines assises ont changé, et ce, parfois pour toujours. Il devient dès lors impossible d'aller de l'avant sans accepter ce fait et sans modifier ou remplacer ces points d'ancrage qui n'ont plus de véritable signification. Imaginez qu'un feu détruise complètement votre demeure; vous devez rebâtir, reconstruire, mais, même si vous reconstruisez une maison dix fois plus belle et plus grande que la précédente, cela ne vous rendra pas ce qui a été détruit dans l'incendie. Vous ne retrouverez pas non plus dans cette nouvelle maison les souvenirs de moments vécus dans la précédente. Vous pouvez traîner votre peine et vos regrets pour le restant de vos jours, mais, entre nous, est-ce que cela changera vraiment quelque chose? Est-ce que cela vous redonnera votre maison incendiée? Nous devons accepter ce fait – l'incendie, la destruction d'une maison où l'on a vécu de bons moments – et... continuer. Plutôt que de se morfondre, il faut rebâtir, reconstruire, se recréer un décor, y vivre de bons moments qui constitueront de nouveaux souvenirs heureux.

Bien sûr, tout cela n'est pas nécessairement facile, mais il faut réussir à faire le deuil, à tourner la page, à passer à quelque chose de nouveau. C'est la seule solution qui offre une perspective de bonheur, car il est impossible de continuer à vivre en traînant le boulet de son passé.

Mais, dans les faits, comment faire le deuil d'une situation et tourner la page ?

Les façons peuvent être aussi nombreuses que diverses, aussi extravagantes que conventionnelles. Vous pouvez aussi bien porter le deuil pendant quelques jours ou quelques semaines, comme vous le feriez pour la disparition d'un être cher ; vous pouvez recevoir quelques amis intimes avec lesquels vous pourrez parler ouvertement de votre situation, communiquer votre chagrin, peut-être même pleurer sur cette phase de votre vie qui vient de s'achever. Attention, cela ne doit cependant pas perdurer au risque de voir vos amis vous fuir. Vous pouvez aussi pleurer, simplement, seul, chez vous, ce qui vous permet d'extérioriser ce que vous ressentez. Enfin, il y a la façon plus traditionnelle de faire le deuil, simplement en réfléchissant et en discutant avec un confident de la situation que vous vivez, et ce, pendant quelques jours, quelques semaines, voire quelques mois, jusqu'à ce que, en fait, vous sentiez que vous en avez terminé avec ce vécu.

Quelle que soit la façon que vous choisissez de vivre ce deuil, retenez que l'objectif de ce processus en est un de finalité ; d'une part, il vous oblige à faire un trait sur le passé et, d'autre part, il indique clairement aux gens de votre entourage qu'une partie de votre existence s'est achevée et que vous êtes décidé à aller de l'avant.

En règle générale, vos parents et amis seront là pour vous appuyer, vous soutenir, vous aider à oublier. C'est aussi dans ces moments difficiles que vous pourrez juger des sentiments et des dispositions des gens de votre entourage. Vous serez vraisemblablement amené à vous débarrasser de certaines gens qui vous entourent. Ne le regrettez pas, la vie est ainsi faite. Vous pouviez avoir de nombreux points communs avec certaines personnes, mais ne plus en avoir du tout après un changement important. Plutôt que de faire perdurer une relation devenue vide de sens, voire désagréable, mettez-y un terme.

Attention, cependant, de ne pas sombrer dans l'atermoiement. Pleurer un certain temps peut vous soulager et sera accepté par votre entourage, mais, si cette attitude s'éternise, elle deviendra malsaine et fera fuir vos proches. Le but de cet *exercice* est de faire un trait sur une situation, un événement, de tourner la page, de vous débarrasser de vos sentiments d'impuissance face à votre passé et non d'en entretenir le souvenir.

Faites votre deuil, et passez à autre chose.

Comment composer avec le ressentiment

Il arrive que de la colère et du ressentiment accompagnent notre douleur. Ce sont pourtant des sentiments qui, en soi, sont sains, car ils nous permettent, dans bien des cas, de réagir et de garder notre équilibre. Le problème ne réside pas tant dans l'apparition de ces sentiments que dans leur expression. Le code qui régit la société dans laquelle nous vivons nous recommande d'enfouir ces sentiments perçus comme *négatifs* au plus profond de nous; si nous enfreignons ce code, si nous laissons voir notre ressentiment, si nous exprimons notre colère et, pis encore, la violence qui peut sommeiller en nous, nous sentons nous-même que nous nous plaçons en marge des règlements ou du mode de vie suggéré par notre société; plutôt que d'avoir un effet libérateur, cette façon d'être aura un effet culpabilisateur. Alors nous refusons de vivre ces sentiments, nous les refrénons. En un certain sens, dans une perspective sociologique, c'est normal, puisque nous préférons tous être connu sous un jour plus favorable, comme quelqu'un qui «ne ferait pas de mal à une mouche».

Toutefois, ce refoulement des sentiments dits négatifs peut causer des problèmes très graves, car la personne qui enfouit sa colère ou son ressentiment peut, un jour, ne plus arriver à les contenir et exploser, comme elle peut aussi, comme cela arrive dans la majorité des cas, tourner cette violence contre elle-même. À ce moment-là, les conséquences sont très lourdes tant pour l'individu que pour la société, puisqu'on parle alors de violence conjugale ou familiale, d'alcoolisme, de toxicomanie, et de quoi d'autre encore.

À la suite d'un bouleversement, il n'y a rien de plus normal que de ressentir des sentiments négatifs, violents, à l'encontre de la vie, de certains événements, de certaines personnes. Si vous apprenez que vous ne pourrez plus continuer à vivre de la même façon qu'avant, qu'on vous a en quelque sorte *retiré* quelque chose dont vous jouissiez, vous avez le droit de ne pas être d'accord, de ressentir de la fureur. Vous n'avez cependant pas le droit de la laisser s'exprimer n'importe comment; n'oubliez pas que la liberté de chacun s'achève où commence celle de l'autre. C'est la raison pour laquelle vous devez apprendre à la canaliser, à vous en libérer de façon à ne pas vous causer de tort, à vous comme aux autres.

Il existe de nombreuses façons d'y parvenir; certaines personnes extérioriseront cette rage en se lançant à corps perdu dans le travail; d'autres consacreront plus de temps que jamais à la pratique de sports qui exigent une grande dépense d'énergie; d'autres encore se livreront à de la méditation ou au yoga. Chacun jugera de la voie qui lui est la plus bénéfique. Certains, toutefois, il faut bien l'admettre, se trouveront démunis devant un tel trop-plein. Voici un petit exercice qui pourrait leur permettre d'exprimer toute leur colère, leur ressentiment et même leur violence sans se faire mal et sans provoquer de conséquences aussi graves, sinon plus, que le changement qui est lui-même survenu.

Assurez-vous d'être seul pour au moins une heure ou deux. Vous n'avez pas à vous donner en spectacle et ce n'est pas un genre d'exercice à faire en groupe. Procurez-vous une citrouille assez grosse ou un melon d'eau. Recouvrez votre table et le plancher autour de celle-ci de plusieurs couches de papier journal ou de plastique que vous pourrez jeter par la suite, car cet exercice fera des dégâts! Placez votre citrouille ou votre melon sur une table, puis faites-y une ouverture. Une fois l'entaille faite, rangez bien le couteau dont vous vous serez servi.

Voilà, vous êtes seul devant votre citrouille ou votre melon et, avec vos mains et vos poings, vous pouvez laisser exprimer votre violence. Frappez la citrouille, cognez-la, déchiquetez-la, laissez toute votre fureur s'extérioriser. Allez-y, n'ayez pas peur: plongez dans la citrouille (ou le melon) et arrachez-en son intérieur avec vos mains; vous pouvez hurler, crier des obscénités, pleurer. Cest le temps de tout laisser sortir, de vous libérer de la violence, du ressentiment que vous avez contenu à l'intérieur de vous. Continuez à déchiqueter votre fruit jusqu'à ce qu'il n'en reste plus qu'une masse pulpeuse. Pulvérisez l'écorce, écrasez-la; bref, détruisez complètement ce fruit.

Ensuite, prenez une grande respiration et asseyez-vous. Vous vous sentirez très fatigué, épuisé, vidé, mais aussi, étrangement soulagé. Vos sentiments de colère, de ressentiment, de violence seront disparus. Au lieu de les contenir jusqu'à vous en rendre malade, vous leur aurez laissé libre cours dans l'intimité de votre maison ou de votre appartement, sans pour autant vous inscrire en marge de la société en violant son code. Vous aurez ainsi réussi à exprimer, à l'aide de cet exercice, des sentiments qui auraient pu, à la longue, vous causer des problèmes au moins aussi sérieux que les changements que vous devez vivre.

Déformer la réalité

Il existe un autre piège dans lequel vous ne devez pas vous engouffrer, c'est celui qui consiste à déformer la réalité, de faire porter le blâme à d'autres, de chercher des coupables pour ce qui vous arrive.

Quels que soient les changements ou les bouleversements qui se produisent dans votre vie, ils sont personnels et *vous* devez les assumer; pointer en haut ou en bas, à droite ou à gauche pour trouver des responsables ne sert absolument à rien. Bien sûr, vous pouvez toujours faire porter l'odieux de votre situation à quelqu'un d'autre, mais cela ne changera rien au fait que vous devez vous adapter à ces changements, que vous devez vivre avec cette nouvelle définition de votre vie. Adopter une telle attitude et chercher à faire porter le blâme par une autre personne retarde votre propre guérison. De plus, en vivant de cette façon, vous faites fuir vos amis et les gens qui voudraient bien vous aider à progresser.

Par ailleurs, lorsque vous choisissez d'adopter cette attitude, c'est-à-dire rendre les autres responsables des événements qui se produisent dans votre vie, non seulement vous propagez une image de vous qui semble se complaire dans son malheur, mais vous exacerbez aussi votre souffrance tout en entretenant votre malaise. Pour tout dire, votre seule raison de vivre semble maintenant de pleurer le passé et de vous lamenter sur ce que vous avez perdu.

« Ce n'est pas moi ! » Non, vous n'êtes pas comme ça, personne n'est comme ça... jusqu'à ce qu'on se reconnaisse dans certaines attitudes, certains comportements, certaines petites phrases révélatrices.

Vous qui lisez cet ouvrage, soyez honnête et voyez si vous ne reconnaissez pas les attitudes et les phrases suivantes.

- Lorsqu'on vous demande comment ça va, vous n'arrivez pas à répondre autrement que « Ça ne va pas si mal que ça... » Si ça va bien, dites-le; si ça va mal, dites-le aussi. Vous risquez bien plus de perdre la sympathie des gens autour de vous en vous montrant comme un éternel insatisfait.

- Vous parsemez votre conversation par des affirmations qui s'appuient constamment sur le passé, sur les moments difficiles, comme si vous étiez étonné d'être toujours en vie: « Ah! les choses sont mieux qu'elles étaient. » C'est normal, vous ne pouvez pas toujours vivre en situation de crise. Mais quand c'est fini, c'est fini: cessez de ressasser le passé.

- Vous sous-estimez constamment votre potentiel et vos besoins par des «Je veux bien me contenter de...», «J'aimerais bien pouvoir, mais...» Bien sûr, si vous ne passez pas à l'action, si vous n'utilisez pas ce qui vous est offert aujourd'hui, vous serez sans cesse déphasé, vous continuerez à vouloir aujourd'hui en pensant à vos ressources d'hier. En d'autres mots, vous n'irez nulle part.

- Vous vivez dans une bulle où le temps est suspendu et vous ne voulez surtout pas en sortir, tout en assurant les autres que vous allez le faire bientôt, très bientôt: «Je ne peux pas... c'est encore trop tôt...» Avez-vous l'intention d'attendre la fin du monde pour rire, avoir du plaisir ou tout simplement retrouver le goût de vivre?

- Vous rejetez la responsabilité de ce qui vous arrive sur les autres, sur la vie; vous dénoncez l'injustice du monde en disant: «Ce n'est pas de ma faute...» Mais soyons réaliste! Personne ne jette le blâme sur vous pour les bouleversements qui se sont produits dans votre vie, mais vous êtes quand même responsable de la façon dont vous affrontez ces changements et vivez, aujourd'hui, votre vie.

- Votre philosophie est devenue complètement nihiliste; l'avenir n'existe plus. Votre vie est vide, sans horizon, sans espoir. «Que la vie est difficile!» ou «Je ne sais pas comment je vais m'en sortir...», voilà le genre de phrases que vous avez faites vôtres. Si vous persistez dans cette voie, vous vous demanderez bientôt pourquoi continuer à respirer, à vivre.

Lorsque vous vous entendez prononcer ces phrases, arrêtez-vous un moment et demandez-vous si vous pensez vraiment ce que vous venez de dire. Avez-vous vraiment l'intention de passer le reste de vos jours dans cet état d'âme ? Est-ce que la vie – *votre* vie – est si triste, si vide que cela ? Réfléchissez-y bien.

C'est vrai qu'une tourmente vient de s'abattre sur votre vie et que vos assises ne sont plus ce qu'elles étaient, mais avez-vous l'intention de continuer à vivre, à aller de l'avant ? Il n'y a qu'une seule alternative : soit vous baissez les bras et vous décidez de vous laisser porter par les événements et la vie, soit vous vous prenez en main et vous passez à l'action.

Il faut que vous preniez une décision : vous ne pouvez vivre éternellement dans l'hésitation.

Si vous décidez de continuer à regretter le passé, mettez ce livre de côté, il ne vous sera d'aucune utilité. Par contre, si vous avez envie de vivre, si vous avez le goût de vous battre, si vous avez le goût et l'intention de faire quelque chose de votre vie, si vous vous rappelez les jours meilleurs non pas pour les regretter, mais parce que vous voulez en retrouver d'autres, restez avec nous. Ensemble, nous allons découvrir le chemin qui mène au bout du tunnel.

Apprenez à vous connaître

ÊTES-VOUS CAPABLE DE VOUS ADAPTER?

Est-ce que la nouveauté – les changements – vous éveillent ou vous contrarient? Vous sentez-vous à l'aise seulement avec les gens que vous connaissez ou dans ce à quoi vous êtes habitué? Au contraire, appréciez-vous l'inattendu, l'imprévu? Vous faut-il du temps pour vous habituer à un nouvel environnement, vous faire de nouvelles relations? À l'aide de ce deuxième test, faites le point sur votre capacité à vous adapter aux changements.

1. Un nouvel environnement, un nouveau contexte:

a) vous terrifie;

b) vous excite;

c) vous laisse indifférent.

2. On vous présente de nouvelles personnes:

a) vous les accueillez avec sympathie;

b) vous ne faites pas les premiers pas, vous attendez qu'elles s'engagent;

c) vous nouez la conversation avec elles pour mieux les connaître.

3. Dans votre vie quotidienne, vous êtes quelqu'un qui avez:

a) une routine;

b) quelques habitudes;

c) aucune habitude, ou très peu.

4. Les traditions:

a) elles vous laissent froid;
b) vous êtes attaché à quelques-unes;
c) elles sont très importantes pour vous.

5. Vous n'avez pas de montre, mais on vous demande l'heure:

a) vous arrivez à la deviner de façon assez précise;
b) vous prenez une «chance»;
c) vous dites que vous ne le savez pas.

6. En ce qui concerne vos principes:

a) vous composez avec, selon les situations;
b) vous en tenez compte dans tout ce que vous faites;
c) vous leur êtes fidèle dans les décisions importantes.

7. Vos petits objets:

a) vous en avez peu auxquels vous tenez vraiment;
b) vous n'attachez aucune valeur à l'aspect matériel des choses;
c) vous êtes incapable de vous départir de quoi que ce soit.

8. On vous confie un nouveau travail:

a) vous vous sentez excité, emballé;
b) vous vous posez des questions;
c) vous vous sentez engagé, mais cela reste du travail.

9. Habituellement:

a) vous parlez beaucoup de vous;
b) vous ne vous confiez qu'à quelques amis intimes;

c) vous êtes muet comme la tombe sur votre vie.

10. Si vous pouviez choisir votre mode de vie:

a) vous achèteriez un condo en ville;
b) vous iriez vivre à la campagne;
c) vous vous laisseriez porter par le vent.

Entourez vos réponses dans la colonne correspondante et accordez-vous le nombre de points indiqué.

	3 points	2 points	1 point
1.	b	c	a
2.	c	a	b
3.	c	a	b
4.	a	b	c
5.	a	b	c
6.	a	c	b
7.	b	a	c
8.	a	c	b
9.	a	b	c
10.	c	a	b

Si vous avez obtenu 21 points et plus:

Vous pouvez vous adapter avec autant de facilité que de rapidité à n'importe quelle situation. La nouveauté ou les changements ne vous effraient pas, bien au contraire! Ils ont, sur vous, un effet bénéfique et stimulant. Vous arrivez à composer avec votre quotidien, mais vous êtes probablement toujours en train de souhaiter que quelque chose d'inattendu, de nouveau se passe et vienne vous surprendre. Les événements qui vous permettent de rompre avec la monotonie quotidienne vous donnent d'ailleurs les meilleures occasions de vous mettre en valeur, car on dirait que vous n'êtes jamais pris au dépourvu. Cette capacité d'adaptation (dans votre cas, il faudrait parler de facilité d'adaptation) provient de votre imagination, de votre ouverture d'esprit et de votre souplesse.

Si vous avez obtenu de 11 à 20 points:

Vous êtes quelqu'un de partagé. Si vous réussissez à vous adapter sans problème à des gens ou à une situation que vous avez choisie ou souhaitée, vous avez plus de difficulté à le faire lorsqu'il s'agit d'un événement véritablement impromptu. Dans ces derniers cas, vous avez souvent l'impression d'être dépassé par les événements et de ne pas avoir le plein contrôle de ce qui se passe. Alors, vous hésitez. Vous ne savez pas si vous devez vous réfugier dans vos habitudes et dans ce que vous connaissez ou, au contraire, risquer de vous engager sans savoir ce qui surviendra. D'ailleurs, cette hésitation freine votre capacité à vous adapter. C'est l'aspect sur lequel vous devriez travailler.

Si vous avez obtenu moins de 11 points:

Vous n'avez pas une grande facilité à vous adapter, que ce soit aux gens ou aux situations. Vous êtes ancré, voire encroûté, dans votre routine, dans vos habitudes. En fait, avant de vous sentir à l'aise avec de nouvelles personnes ou dans une nouvelle situation, vous avez besoin de temps. Vous devez voir, sentir les choses. C'est d'ailleurs la raison pour laquelle vous ne vous sentez pas habile dans l'improvisation. Vous devez même avoir tendance à gaffer dans ces situations. Avec le temps (et parce que vous n'avez pas mis les efforts nécessaires pour développer cet aspect de votre personnalité), vous avez tendance à fuir les situations nouvelles qui, pour vous, sont synonymes d'imprévisibles. Il n'en tient qu'à vous de changer. À partir du moment où vous déciderez de faire les efforts nécessaires, vous pourrez en quelque sorte actualiser votre capacité à vous adapter. Pour cela, soyez prêt à faire des efforts et à prendre des risques.

Chapitre 3

Évaluer et connaître ses véritables besoins

Vous avez décidé de poursuivre. C'est bien. À ce moment-ci, il devient important d'évaluer l'état de la situation, c'est-à-dire vos besoins tels qu'ils sont maintenant, après ce que vous venez de vivre comme transformation. Essayez d'observer le plus objectivement possible ce qui vient de se passer et, surtout, essayez de voir si cela a pu modifier vos besoins de quelque façon que ce soit. Si c'est le cas, quels changements ont été provoqués?

Lorsque nous parlons, ici, de besoins, nous voulons dire les choses qui vous sont essentielles pour vivre (et vivre heureux, bien sûr). Soyez réaliste dans l'établissement de cette liste; allez jusqu'à reconsidérer la nécessité de changer de garde-robe toutes les saisons, surtout si vous venez de perdre votre emploi et décidez de travailler à la maison. Analysez ainsi tout ce dont vous pensez avoir besoin pour vivre.

Regardez aussi de près ce que vous considériez comme des acquis. Interrogez-vous. Pourquoi considériez-vous ces choses comme des acquis? Sur quoi ceux-ci étaient-ils basés? Vous vous rendrez compte, probablement assez rapidement, qu'il arrive que ce que nous considérions comme vital peut nous paraître un peu frivole lorsqu'on s'y arrête vraiment. Prenez l'exemple d'un jeune homme, maniaque de la performance sportive, à qui l'on apprend soudainement qu'il ne pourra plus marcher. Sa vie s'écroule, puisqu'elle était auparavant basée sur ce qu'il pouvait accomplir sur le plan physique. Doit-il maintenant, pour cela, renoncer à vivre? Bien sûr que non, mais il doit apprendre à penser différemment, à se fixer de nouveaux défis et objectifs.

Cette décision n'est pas facile, mais elle est réalisable; c'est d'ailleurs une condition de survie.

La première chose à examiner lorsque survient une telle situation, ce sont nos acquis. En d'autres mots, pourquoi sommes-nous comme nous sommes? Est-ce vraiment une question d'aptitudes ou est-ce un écran qui masque nos sentiments d'infériorité, d'inaptitude et qui, auparavant, occultait notre jugement?

En ce sens, lorsque cet exercice est bien fait, c'est-à-dire de façon honnête et sérieuse, les bouleversements de notre vie peuvent avoir des conséquences bénéfiques sur notre vie et sur ce que nous sommes, puisqu'ils nous obligent à redéfinir nos priorités, nos buts. À jeter un nouveau regard sur nous-même.

Comprendre vos anciens besoins

Pour progresser et tirer profit des bouleversements que vous vivez, il devient nécessaire de passer soigneusement en revue votre vie avant qu'elle soit bouleversée. Par exemple, meniez-vous votre vie à un rythme effréné? Nous savons tous que l'activité est essentielle pour maintenir notre santé et nous détendre, mais il existe une différence considérable entre une activité saine et une activité frénétique. Cette dernière ne sert pas nécessairement à nous détendre ou à nous maintenir en bonne santé, elle draine notre énergie et engourdit nos sentiments. Bien souvent, que cela soit conscient ou non, opter pour un tel rythme de vie est une façon dissimulée d'étouffer nos émotions, d'essayer en quelque sorte de devenir insensible.

Cette façon d'être et de vivre est d'ailleurs encouragée par une certaine catégorie de gens. C'est compréhensible, puisque c'est en effet pratique tant pour le milieu professionnel que pour la société en général, lorsque tous travaillent de façon acharnée sans se soucier des *petits détails* comme les sentiments et les émotions, qui prennent du temps, qui compliquent les choses et avec lesquels notre société n'est pas vraiment à l'aise.

Dans un monde qui change constamment, dont l'évolution n'est plus évoquée que par rapport au progrès, on a peu de temps pour s'occuper des questions immatérielles comme les sentiments et les émotions. C'est d'ailleurs la principale raison pour laquelle nous sommes si démuni, si privé de moyens lorsque survient un bouleversement majeur dans notre existence.

On préfère ignorer, cacher, enfouir nos sentiments, nos émotions jusqu'à ce que survienne l'explosion ou l'ouragan qui ne nous laissera pas le choix d'effectuer, en nous et autour de nous, les transformations nécessaires.

Malheureusement, une bonne partie de notre société non seulement encourage, mais valorise aussi ce type de comportement. Un travailleur acharné en quelque domaine que ce soit est bien vu par l'entourage personnel comme professionnel.

- « Le dévouement signifie travailler fort et se sacrifier pour les autres. »
- « Le monde appartient à ceux qui travaillent fort. »

- « Il faut avancer dans la société ; il faut batailler dur, se tailler une place. »

Ces phrases vous disent quelque chose ? N'avez-vous pas vous-même bâti votre vie d'après ces axiomes ? Vous dites peut-être non, mais avez-vous vraiment bien observé votre style de vie ? L'acharnement au travail n'est pas le seul type d'activité frénétique. En voici les plus courants.

La parfaite ménagère souffre souvent du même syndrome, puisque toute sa vie gravite autour de la maison, le centre absolu de son existence. Aucun détail, si minime soit-il, n'échappe à son contrôle : les repas, l'entretien ménager, le lavage, la décoration, le jardin, etc. Sa plus grande fierté est sa maison, ce qui ne l'empêche pas d'avoir des activités à l'extérieur et, parfois même, un travail à temps plein. Pour elle, les week-ends sont consacrés à des projets comme la peinture (pas artistique, mais des pièces de la maison !), les rénovations, et j'en passe.

Le parent parfait est celui dont l'existence entière est centrée sur les enfants, leur éducation, leurs besoins, leurs réalisations. Pour le parent parfait, tout ce qui ne concerne pas les enfants n'existe pas. Les congés, les vacances, la maison, le train de vie, tout gravite autour des besoins réels (ou même imaginaires) des enfants. Là où les problèmes commencent, c'est que, parfois, les désirs des parents ne coïncident pas tout à fait avec ceux des enfants et n'ont rien à voir avec les véritables besoins affectifs de ces derniers. Les enfants ont besoin de se sentir importants, mais les parents doivent aussi être à l'écoute de leurs propres besoins. Comment pourraient-ils d'ailleurs connaître et reconnaître les besoins de leurs enfants s'ils sont incapables de comprendre les leurs ?

Le fanatique du sport est une autre victime de la vie effrénée. Vous en connaissez sûrement; il peut s'agir aussi bien d'un sportif de salon que d'une personne qui pratique intensivement un ou plusieurs sports. Dans un cas comme dans l'autre, toutes les activités du quotidien gravitent autour de la pratique ou du visionnement des sports. La vie en compagnie d'un maniaque des sports devient rapidement une vie de solitaire pour le conjoint. Qui ne connaît pas, dans son entourage, au moins une veuve du sport? Lorsque la principale préoccupation d'une personne est le sport, il n'est pas question qu'autre chose interfère avec cette passion. Tout lui est subordonné; les sentiments des autres membres de la famille passent en second lieu, et le temps consacré à leurs besoins est minime.

Le parfait professionnel est aussi une victime de ce syndrome de l'activité frénétique. C'est, bien sûr, celui pour qui le travail passe d'abord et avant tout; il est prêt à tout sacrifier pour son travail: son temps, ses énergies, sa vie familiale et amoureuse ainsi que sa santé.

Tous ces comportements, pourtant souvent vantés, n'en sont pas moins l'indication que quelque chose ne va pas. C'est souvent chez ce type de personne que les bouleversements surviennent. Il faut comprendre que trop c'est trop, et qu'une partie de nous provoque le bouleversement qui nous obligera à changer notre attitude, à modifier nos comportements. Le fanatique du sport peut sembler ne pas comprendre pourquoi sa femme le quitte, mais c'est bien son attitude qui a causé la séparation. Le parfait professionnel qui tombe malade comprend trop tard que c'est son acharnement au travail qui a causé sa maladie.

Voici les principales raisons qui nous poussent à jouer ces rôles.

- Engourdir ses émotions.
- Masquer son manque de confiance en soi.
- Gagner l'estime des autres.
- Ressentir le besoin de se faire remarquer.
- Combler le vide de sa vie.

Accepter les risques

Accepter les risques, voilà la meilleure façon de contrer les bouleversements. Allez-y! Sortez de votre coquille, explorez de nouvelles avenues, rencontrez de nouvelles personnes, expérimentez de nouvelles idées. Faites comme si vous visitiez un pays étranger dont la langue et les coutumes vous sont totalement inconnues. Si vous étiez en voyage, il vous faudrait vous débrouiller, vous adapter, surmonter les imprévus. Rappelons-nous les paroles de Hellen Keller, qui a réussi à surmonter les plus grands handicaps pour communiquer avec le monde entier:

> *La sécurité totale est le plus souvent une superstition. Elle n'existe pas dans la nature, et les enfants de l'homme dans leur ensemble ne la connaissent pas. Éviter le danger n'est pas plus sûr à long terme que de s'y exposer carrément. La vie est une aventure audacieuse, ou elle n'est rien.*

Nous devons apprendre à nous voir nous-même sous un nouveau jour, prendre le risque de laisser tomber notre vieille identité afin de découvrir qui nous sommes vraiment.

Ce qui est paradoxal avec la sécurité, c'est que l'on ne peut la découvrir qu'en prenant des risques. C'est la seule façon de savoir en qui et en quoi nous pouvons avoir confiance.

Le secret? Il est tout simple: le véritable sentiment de sécurité personnelle ne provient pas de l'extérieur, il émane de l'intérieur de nous. Lorsque nous arrivons à nous sentir vraiment en sécurité, c'est que nous avons placé en nous toute notre confiance et que nous sommes en mesure d'assumer les événements, quels qu'ils soient, avec assurance. Le plus grand risque, remarquons-le, consiste à être soi-même. Ce n'est rien de plus, mais c'est tout de même une tâche colossale que d'y parvenir.

On ne peut cependant pas ne pas accepter de s'y confronter. Les personnes qui se privent d'être elles-mêmes n'arriveront jamais à découvrir ce qu'est vraiment la vie. Pensez-y: ce n'est pas vraiment une vie que de toujours faire semblant, de ne jamais ressentir – ou avouer – ses propres émotions. Le vrai prestige et l'estime de soi ne se construisent pas sur des faux-semblants. Si vous n'acceptez pas de changer lorsque le moment est opportun, vous aurez sans doute à changer lorsque vous y serez le moins préparé et, à ce moment-là, non seulement vous serez pris au dépourvu, sans moyens, mais aussi, surtout, vous risquez de souffrir terriblement.

L'idéal n'est pas d'attendre d'être acculé au mur pour agir, réagir. Il faut, de nous-même, et dans le meilleur contexte possible, c'est-à-dire dans une situation planifiée, initier nos propres changements. Prendre de petits risques. Avancer tranquillement, évoluer sereinement. Changer doucement, quoi!

Ce faisant, les bouleversements que nous craignons tant et vis-à-vis desquels nous nous sentons toujours pris de court, ne seront, dans la très grande majorité des cas, que des transformations que nous vivrons de façon sereine et positive simplement parce que nous nous y serons préparé.

Les besoins matériels

Nous pouvons tous énumérer certains besoins que nous considérons comme essentiels. Voici cependant une liste qui résume assez bien ceux que l'on peut qualifier de fondamentaux; vous pouvez, bien sûr, ajouter ou retrancher les éléments que vous désirez de façon que cette liste corresponde précisément à vos besoins. Toutefois, ils ne différeront probablement guère de ceux-ci, puisque ces besoins sont essentiels à notre survie et que nous devons en faire notre priorité.

Si vous croyez pouvoir ou devoir ajouter des éléments, réfléchissez-y à deux fois: sont-ce vraiment des besoins essentiels?

Le sommeil. Nous avons tous manqué de sommeil un jour ou l'autre, pour une raison ou une autre. Si cela se produit de façon occasionnelle, ce n'est pas très grave, mais il ne faut malheureusement guère de temps pour que cela devienne un problème sérieux. Le manque de sommeil entraîne de nombreux symptômes très inquiétants, voire dangereux: la confusion, la perte de mémoire, l'irritabilité, le manque de coordination, etc.

Une alimentation adéquate. C'est tout à fait essentiel pour survivre et nous permettre de faire plus que subsister. Ne pas s'alimenter suffisamment (comme aussi trop ou mal s'alimenter) entraîne des problèmes qui peuvent se transformer en désordre grave dont les médecins, les nutritionnistes et les diététistes nous entretiennent à satiété depuis maintenant plusieurs années. Il faut veiller soigneusement à notre alimentation. N'oublions pas que notre corps est tout ce que nous possédons.

Un toit. Notre environnement est essentiel pour assurer notre tranquillité d'esprit, notre sécurité intérieure. Il est fondamental que notre espace vital soit attrayant, que nous puissions y trouver de la quiétude, du repos. Il est très difficile, particulièrement dans notre climat, de survivre adéquatement sans un toit, sans un endroit confortable où se réfugier.

La sécurité financière. Nous ne parlons pas, ici, de la richesse, mais simplement d'une certaine aisance financière nous permettant de satisfaire nos autres besoins fondamentaux, comme payer notre loyer et les frais connexes, nous alimenter, etc. Malheureusement, certaines personnes souffrent de ne pas être en mesure de pouvoir combler ces besoins essentiels.

Les besoins affectifs

Maintenant que nous avons décrit les besoins essentiels sur le plan matériel, qu'en est-il des besoins affectifs?

Non, l'affection n'est pas un luxe! Nous avons tous des besoins affectifs qui doivent être satisfaits si nous désirons conserver notre équilibre. Ceux-ci n'ont rien d'inventé, d'imaginaire: le manque d'attention, d'affection, d'amour, la solitude, entraînent des problèmes de taille et peuvent même, dans certains cas, conduire au suicide. La perte d'estime de soi, l'incapacité de s'épanouir, une diminution de l'espérance de vie, des carences psychologiques et même physiques sont aussi des besoins qui, s'ils ne sont pas comblés, peuvent provoquer un déséquilibre affectif.

L'affection est une nécessité absolue chez l'être humain. Cependant, elle peut emprunter plusieurs formes; bien sûr, la relation de couple est celle à laquelle on songera immédiatement, mais elle n'est, en fait, qu'un des moyens par lesquels l'affection s'échange. Les relations d'amitié sont une forme plus reconnue. Il en existe d'autres aussi; songez à ce qui vous rend bien dans les relations que vous entretenez avec autrui.

La seule mise en garde qui doive être faite, quant à ce type de relations, c'est la nécessité absolue de développer des liens, qu'ils soient d'amour ou d'amitié, qui soient réciproques, dans lesquels chacun sent qu'il se produit un échange. Sinon, il y aura une rupture ou une déception à court terme et, si l'engagement de l'un est trop fort, cela pourra provoquer une situation critique, difficile à vivre.

Par ailleurs, nous avons également besoin de plusieurs liens affectifs significatifs afin de combler les différentes attentes que nous nourrissons sur l'amour, l'amitié, la vie sociale et professionnelle. Chacun des liens que nous développons dans un domaine ou un autre satisfera certaines aspirations, certaines espérances et, même si chacune se développera à un niveau différent, n'importe quelle relation dans laquelle nous nous engagerons impliquera du travail. Une amitié demande des efforts et ne subsistera pas longtemps si l'on n'en prend pas soin; il faut être attentif aux besoins de ses amis, comme ils doivent l'être face aux nôtres. Chacun est responsable à part égale de la qualité et du succès de la relation. Cela est aussi vrai dans une relation amoureuse.

L'intimité

Lorsqu'on parle d'intimité, l'image qui nous vient habituellement à l'esprit est celle des relations sexuelles dans un couple. C'est en effet une forme d'intimité, et sans doute la plus intense, mais ce n'est pas la seule. Aussi, quoi qu'on en dise, les relations sexuelles ne se vivent pas toujours dans une véritable intimité.

Ceci dit, l'intimité, qui peut prendre plusieurs formes ou aspects, est une façon merveilleuse de combler ses besoins affectifs, car elle implique nécessairement un rapprochement plus ou moins éphémère. Cela ne dure parfois que l'espace d'un instant; il peut s'exprimer par un regard, un sourire; parfois, l'échange sera plus long: une soirée en tête-à-tête avec un ami ou une réunion de quelques personnes ayant certaines affinités entre elles.

La principale difficulté, lorsque nous tentons de définir l'intimité, c'est que nous puisons sa «définition» dans une littérature romantique pleine d'idéaux ou encore à l'image des chansons d'amour. Ce n'est pas mauvais en soi, mais, ce faisant, nous passons à côté de plusieurs possibilités intéressantes et enrichissantes sur les plans affectif et émotif.

Précisons tout d'abord que l'intimité n'est pas due au hasard, c'est avant tout une question de choix. Nous devons en effet faire le choix de nous ouvrir à l'autre et de prendre le temps de le laisser s'ouvrir à nous. C'est une décision qui peut parfois être difficile à prendre, car elle implique la notion d'engagement. Cependant, une fois que la décision est prise, le premier pas vers une vie plus saine et plus enrichissante est fait.

Voici quelques exemples de moments de rapprochement qui impliquent différents niveaux d'intimité, que ce soit avec le conjoint, les parents, les amis, les relations sociales, etc. Vous en avez probablement noué, sans même vous en rendre compte.

- Lorsque vous priez ou méditez avec quelqu'un, que ce soit dans un cadre formel (une église, par exemple) ou informel.
- Lorsque, devant un merveilleux coucher de soleil ou un paysage bucolique, vous vous sentez en harmonie avec la nature ou une puissance supérieure.
- Lorsque vous partagez un repas avec quelques proches et que vous ressentez l'affection qui vous lie.
- Lorsque vous ressentez l'impression d'être compris par quelqu'un, simplement grâce à un regard ou à un sourire.
- Lorsque vous ressentez le réconfort d'une main sur votre épaule lorsque vous avez du chagrin.
- Lorsqu'un de vos enfants réussit quelque chose de bien : un examen, un spectacle, une partie, etc.
- Lorsque vous faites partie d'une équipe sportive ; lorsque vous jouez, que vous êtes au vestiaire ou que vous vous fréquentez à l'extérieur.

Comme vous pouvez le voir, ce ne sont là que quelques moments privilégiés, moments d'intimité ; vous pouvez en ajouter une multitude d'autres adaptés à votre vécu.

Mais, quels que soient ces moments, chaque fois que vous les partagez avec une autre personne, vous ressentez un sentiment de bien-être intense. Quoi que l'on puisse croire, cela ne va pas nécessairement de soi ; pour y arriver, il faut avoir des relations saines avec les autres ; il faut savoir partager, mais il faut d'abord et avant tout savoir quoi partager.

Voici donc quelques-uns de ces besoins que nous devons partager avec ceux qui nous sont chers.

- Les émotions et les sentiments spontanés que l'on nous a malheureusement appris à réprimer durant notre enfance et, souvent, tout au long de notre vie.

- Les pensées et les réflexions personnelles, au lieu de souscrire aveuglément à la pensée conformiste de notre époque.

- L' état de santé (et celui de ceux qui sont près de nous) ; au lieu de dissimuler notre souffrance en abusant de tabac, d'alcool ou de nourriture, soyons honnête avec nous-même et avec les autres.

- Les besoins spirituels; il nous faut apprendre à les connaître, à les découvrir et à les partager avec nos proches.

- Les désirs sexuels; apprenons à les communiquer au lieu de les cacher. Il nous faut aussi apprendre à écouter les désirs de notre partenaire sans les juger.

Lorsque nous parvenons à comprendre et à partager nos besoins, simplement, nous changeons le type de relation que nous avons avec les autres. Nous cessons de jouer le jeu, de jouer un rôle. Nous laissons ainsi percevoir par les autres qui nous sommes réellement et ce dont nous avons vraiment besoin pour nous épanouir.

Une fois que nous savons qui nous sommes, nos acquis deviennent beaucoup plus réels, et nous ne sommes plus ébranlés aussi facilement qu'auparavant lorsque survient un bouleversement – et en survient-il encore vraiment?

Comment peut-on reconnaître que l'on est intime avec des personnes ou sur la voie de le devenir?

Voici quelques éléments qui caractérisent des relations intimes avec une ou plusieurs personnes; ce sont des composantes essentielles dans toute relation intime.

- La principale caractéristique – et la plus simple – de ce type de relation, c'est qu'on éprouve du plaisir d'être en compagnie de ces personnes.
- Il n'existe pas de rapport de force, de domination, dans les rapports entre personnes intimes. Les rôles fluctuent selon les goûts et les compétences de chacun.
- Vos amis intimes ne s'attendent pas à ce que vous demeuriez toujours le même. Ils savent que la vie change, que vous devez aussi changer et que, de toute façon, les changements sont souvent positifs et signes d'évolution. Ils acceptent et approuvent vos décisions.
- Vous pouvez compter sur vos amis intimes, ils sont constants.
- Vos amis intimes ne jouent pas de jeu pour obtenir plus d'attention; ils savent qu'ils peuvent compter sur vous et connaissent la qualité de vos sentiments.
- Vous vous amusez ensemble.
- Vos amis intimes ont appris qu'ils peuvent et doivent vous demander des choses; ils n'ont pas recours à la manipulation ou au chantage pour obtenir ce qu'ils veulent de vous.

Toutes ces affirmations s'appliquent tant à votre partenaire de vie qu'à vos amis et même aux gens avec lesquels vous entretenez des relations épisodiques, mais intenses.

Cependant, si vous y pensez quelques instants, vous admettrez qu'il est encore plus important, déterminant, que ces caractéristiques s'appliquent à votre vie de couple.

Imaginer le bonheur, ça ne veut pas dire qu'il n'y a pas de petits nuages, mais cela signifie que vous êtes prêt à faire les efforts nécessaires, sans chantage émotif et sans pleurs, pour arriver à les surmonter.

Pour une relation de couple harmonieuse: éviter les bouleversements

L'engagement dans sa vie de couple signifie l'ouverture d'esprit et l'ouverture aux sentiments; l'échange doit être réciproque et se faire sur tous les plans de la vie, aussi bien dans les petits détails du quotidien que dans les grands objectifs à atteindre à plus long terme.

On ne réussit pas sa vie de couple sans faire d'efforts, sans faire de compromis. Cela est également vrai pour l'autre partenaire.

Voici quelques conseils pratiques pour vivre une relation de couple harmonieuse et valorisante; une relation qui, sans qu'elle n'évite totalement les heurts, réussit tout au moins à écarter les bouleversements, les situations de crise.

- Prenez le temps d'écouter l'autre tous les jours. Si vous prenez une quinzaine de minutes par jour pour écouter votre conjoint, vous vous situerez au-delà de la moyenne qui est de cinq minutes.

- Ne reléguez jamais un problème aux oubliettes: faites l'effort de le résoudre, parlez-en et, une fois qu'il est réglé, cessez d'y penser et de le faire remonter à la surface.

- Efforcez-vous de découvrir quels sont les sentiments derrière les problèmes. Par exemple, derrière toute lutte de pouvoir, il existe des sentiments d'infériorité de la part du partenaire qui, souvent, crie le plus fort. Une fois que vous connaissez les sentiments qui sont sous-jacents à la situation, vous pouvez la désamorcer, trouver la solution et aller de l'avant.
- Rompez la loi du silence. Lorsque quelque chose vous dérange, dites-le, car la télépathie n'est pas encore le propre des gens.
- Établissez clairement vos limites, vos frontières. Vous n'êtes pas obligé de tout partager tout le temps; il faut vous ménager des moments d'intimité avec vous-même.
- Cherchez à établir d'autres relations d'amitié et d'intimité à l'extérieur de votre couple; faites savoir à votre partenaire qu'il n'a pas à s'en sentir menacé.

En définitive, on peut reconnaître assez facilement les gens avec qui l'on souhaiterait devenir intime. Certaines qualités nous sautent aux yeux, mais nous devrions aussi apprendre à les cultiver en nous. En voici quelques-unes.

- Percevoir la beauté chez les autres.
- Être capable de définir ses propres valeurs.
- Faire preuve d'indépendance plutôt que de dépendance.
- Savoir développer l'estime de soi.
- Accepter la réalité telle qu'elle est.

- Apprendre à pardonner.
- Connaître sa valeur personnelle, sans la sous-estimer ni la surestimer.

Nous devons être prêt, à tout moment, pour amorcer les changements qui nous feront nous sentir mieux dans notre peau et, surtout, nous devons les entreprendre avant d'y être contraint par les événements. Si nous le faisons, si nous réussissons à trouver l'équilibre et l'harmonie, il est certain que nous minimiserons les risques de bouleversements et que, même s'il s'en produit, nous serons dans un meilleur état pour y faire face.

Bien entendu, tout cela n'est pas toujours facile; il arrive même souvent que nous trébuchions sur le chemin de notre évolution, mais nous avons toute notre vie pour nous améliorer, pour changer notre réalité, pour évoluer, seul et avec les autres.

Apprenez à vous connaître

ÊTES-VOUS CAPABLE DE RÉCUPÉRER RAPIDEMENT?

La vie en elle-même constitue un cycle: heures, jours, saisons, années. En tant qu'être humain, nous sommes partie prenante de ce cycle; nous devons suivre un rythme, agir, mais aussi récupérer. Le faisons-nous? Le faites-**vous**? Savez-vous quand vous devez récupérer, comment refaire le plein d'énergie tant sur le plan physique que sur le plan psychologique? Êtes-vous capable, lorsque vous êtes pris dans l'engrenage d'une situation, de vous arrêter pour faire le point? En d'autres mots, vivez-vous vraiment selon le rythme qui vous est propre? Ce troisième test répond à ces questions.

1. Après une dépense d'énergie importante:

a) vous êtes prêt à recommencer en vous disant que c'est bon pour vous;

b) vous vous accordez une pause avant de recommencer;

c) vous êtes épuisé: on ne doit rien vous demander de faire.

2. Vous dormez le mieux:

a) avant minuit;

b) après minuit;

c) ça vous est indifférent.

3. En milieu de journée, vous ressentez un coup de fatigue. Vous récupérez:

a) en fumant une cigarette ou en buvant un café;

b) en vous rafraîchissant le visage à l'eau froide;

c) d'aucune façon. Vous ne pensez qu'au moment où vous pourrez aller dormir.

4. Après une nuit blanche, vous:

a) mangez plus que d'habitude;

b) pensez à faire une sieste en milieu d'après-midi;

c) fumez cigarette sur cigarette et buvez café sur café.

5. Si on vous en laissait le choix, vous travailleriez:

a) huit heures par jour, du lundi au vendredi;

b) dix heures par jour pendant quatre jours, puis vous prendriez trois jours de congé;

c) lorsque ça vous le dit, mais avec vivacité et efficacité.

6. On vous annonce que vous devrez faire un effort soutenu pendant plusieurs jours consécutif:

a) vous vous préparez en conséquence;

b) vous n'en faites pas cas, convaincu que vous serez en mesure de tenir le rythme;

c) vous ne faites absolument rien les jours précédents afin de conserver votre énergie.

7. Vous vous détendez en:

a) lisant tranquillement un livre;

b) vous entourant de gens;

c) dépensant de l'énergie sur le plan physique.

8. Vous êtes à plat, épuisé, déprimé:

a) vous en avez conscience, mais vous essayez de redoubler d'ardeur;

b) vous vous laissez aller;

c) vous essayez de ne pas en tenir compte.

9. La solitude:

a) vous l'appréciez;

b) vous la détestez;

c) vous en avez besoin, mais dans des moments bien précis.

10. Dans une foule:

a) vous parvenez à oublier les gens qui vous entourent;

b) vous partagez pleinement les réactions des autres;

c) vous évitez les foules.

Entourez vos réponses dans la colonne correspondante et accordez-vous le nombre de points indiqué.

	3 points	2 points	1 point
1.	a	c	b
2.	b	a	c
3.	b	c	a
4.	c	b	a
5.	c	a	b
6.	b	c	a
7.	c	a	b
8.	a	b	c
9.	b	a	c
10.	b	c	a

Si vous avez obtenu 21 points et plus:

Si l'on vous demande de fournir des efforts d'une façon intensive et soutenue, il est indéniable que vous traverserez des périodes de hauts et de bas, et que vous ne serez pas en mesure de vous servir de votre potentiel à tout moment. En d'autres mots, vous avez un rythme plutôt lent, car vous avez besoin de vous accorder une pause après un effort soutenu. Lorsque survient un bouleversement, c'est justement ce qui est exigé: un effort soutenu et intense. Vous pouvez quand même réussir à passer au travers avec une certaine aisance, mais, pour cela, vous devrez être en mesure de vous accorder des pauses, des temps de repos, de récupération; sinon, tout risque de dégénérer rapidement, car vous n'aurez plus l'acuité nécessaire pour réagir. Bref, comprenez que, pour utiliser tout votre potentiel, vous avez besoin de périodes de calme, de solitude, d'arrêt, car c'est dans celles-là que vous vous ressourcez.

Si vous avez obtenu de 11 à 20 points:

Vous récupérez plutôt rapidement. Vous êtes capable de fournir un effort continu et extraordinaire sans problème. De toute façon, vous n'aimez pas traîner. Ce n'est d'ailleurs pas là que réside votre problème, c'est plutôt dans le fait que vous avez tendance à vous contraindre à en faire plus qu'il n'est nécessaire. Vous refusez carrément de ressentir de la fatigue, même lorsque celle-ci est tout à fait légitime. Cela vous conduit à abuser de vos forces et, ainsi, vous risquez de vous retrouver en panne si vous avez besoin d'un effort supplémentaire.

Si vous avez obtenu moins de 11 points:

Vous êtes une force de la nature. Vous pouvez vous dépenser sans compter, mais vous récupérez d'une façon étonnante. Très rares sont d'ailleurs les personnes qui peuvent vous suivre! La dépense d'énergie vous permet de découvrir des choses inconnues, et ce, parfois dans un état qui pourrait s'apparenter à la transe. Ce n'est pas mauvais, car vous savez tout de même faire la part des choses et porter un jugement équilibré. Les stimuli extérieurs auxquels vous êtes confronté dans les périodes de grande activité vous donnent autant d'énergie que vous en dépensez. Si vous savez écouter votre corps et foncer comme bon vous semble, pourquoi vous retiendriez-vous? Les bouleversements ne vous effraient vraiment pas. Il faudrait cependant voir le résultat de vos autres tests, car ce facteur n'est qu'un de ceux qui interviennent dans votre efficacité d'action. Tout de même, admettons-le, vous êtes sur la bonne voie!

Chapitre 4

Lâcher prise

La solution pour transformer une catastrophe en triomphe personnel passe par le lâcher prise, mais il faut prendre garde à la portée que l'on accorde à ce mot et, surtout, à sa conception.

Lâcher prise – et retenez-le bien – ne signifie pas:

- vivre et s'accommoder des regrets du passé;
- croire que ce qui nous arrive, c'est la faute d'un autre;
- aller de déception en déception afin de vaincre l'adversité;
- accepter de baisser ses exigences par rapport à la vie;
- se répéter sans relâche que l'on peut passer à autre chose du jour au lendemain, mais sans jamais le faire.

Ce n'est pas, non plus, un vœu pieux ou un souhait que l'on ne réalisera jamais.

Pour tout dire, il ne suffit pas de souhaiter lâcher prise: il faut plutôt agir et faire les efforts en conséquence.

Nous devons bien prendre concience que, lorsque nous nous contentons de tourner le dos aux événements, d'ignorer les bouleversements qui nous choquent ou affectent notre vie, nous nous empressons souvent, à plus ou moins long terme, de nous replacer dans la même situation, de provoquer les mêmes événements, en les aggravant parfois. C'est comme si, n'ayant pas trouvé la véritable voie de sortie, nous revenions sans cesse au point de départ.

Pour cette raison, fuir une personne, une situation ou un emploi qui nous afflige n'est pas une solution viable. Il faut plutôt y faire face et trouver la façon de la retourner à notre avantage ou, tout au moins, de s'en accommoder.

Ce qui ne nous convient pas

Avant de savoir ce que nous voulons, il faut savoir ce que nous ne voulons pas dans notre vie; avant de connaître ce qui nous convient, il faut découvrir (et reconnaître) ce qui ne nous convient pas. Cela exige que nous ayons déjà un certain vécu, un certain bagage.

Une bonne façon de répondre à cette interrogation est l'exercice suivant. En prenant tout le temps dont vous avez besoin, plusieurs heures, voire plusieurs jours, dressez une liste des choses qui vous heurtent dans la vie, vis-à-vis desquelles vous ne vous sentez pas à l'aise.

Faites-le pour chacun des domaines de votre vie et pour chacune des relations qui y interviennent.

Voici les plans de votre vie que vous devriez soumettre à cette analyse:

- vos valeurs;
- votre façon de voir la vie;
- vos attitudes devant les problèmes;
- votre apparence physique;
- votre vision de l'amour et de la vie de couple;

- votre relation amoureuse;
- votre vie familiale;
- vos relations avec les membres de votre famille;
- votre vie sociale;
- vos relations d'amitié;
- votre emploi;
- vos relations professionnelles.

Vous pouvez retirer ou ajouter autant de catégories que vous le désirez. Cest vous qui déterminez ce qui agit dans et sur votre vie, ce qui vous dérange, ce qui éteint vos énergies ou annihile vos efforts.

La clé de cet exercice, c'est bien sûr la sincérité; soyez sincère et vrai avec vous-même. Le jeu en vaut la chandelle! Vous devez savoir qui vous êtes, mais aussi *où* vous en êtes; vous devez connaître aussi bien vos forces et vos ressources que vos faiblesses.

Tout cela est essentiel parce que lorsque survient un bouleversement, il est primordial non seulement de distinguer ce qui se passe, mais aussi de connaître les moyens dont nous disposons pour y faire face.

Il faut devenir plus fort que ce que nous craignons. Pour ce faire, nous devons d'abord traverser nos peurs, non pas les dominer ou les surmonter, mais simplement les traverser. Autrement dit, voir et confronter nos craintes.

Il faut savoir que la peur est une réaction à une situation ou à un événement auquel nous sommes confronté et devant lequel nous ne savons pas comment réagir. Cette réaction émane d'aussi loin que de l'homme des cavernes, alors que la fuite signifiait la survie. Il existe en effet, encore de nos jours, des situations où la fuite peut s'avérer un bon moyen de survivre; par exemple, s'enfuir devant quelqu'un qui menace notre vie ou notre intégrité physique. Mais, dans la majorité des cas, notre réaction de la peur est intellectuelle et la fuite, la pire des solutions.

Lorsque le processus s'enclenche, nous cédons notre volonté et nous laissons la peur nous dicter notre conduite.

Cependant, une fois que nous sommes capable de nous rendre compte que nos peurs sont en quelque sorte des forces mécaniques – des réflexes – et qu'elles sont dépourvues d'intelligence, nous devenons déjà plus fort qu'elles.

Ne pas être ses peurs

Lorsque vous constatez que votre réaction de peur est un réflexe, simplement, vous apprenez petit à petit à regarder la situation et prenez conscience que vos peurs ne sont pas vous.

Il ne s'agit pas, ici, d'avoir l'air fort ni d'être téméraire, cela ne servirait strictement à rien et surtout pas à vous faire progresser. Ce qu'il faut faire, en réalité, c'est regarder, examiner votre concept de la peur et démonter ses mécanismes. En d'autres mots, comprendre ce qui suscite ces réactions négatives en vous.

Rappelez-vous, lorsque vous étiez enfant, la peur que pouvait susciter la noirceur, par exemple, en vous; vous imaginiez probablement toutes sortes de monstres effrayants et pourtant... il n'y avait personne sous votre lit ou dans votre placard. Cependant, votre peur était réelle, c'est elle qui vous dictait vos agissements, tant et si bien que vous ne pouviez trouver le sommeil aussi longtemps que votre mère ou votre père n'était pas venu examiner soigneusement sous votre lit pour vous rassurer.

Il n'est pas question de mettre en doute la réalité de votre peur, mais plutôt de comprendre comment et pourquoi elle agit. Une fois que vous commencez à montrer de la curiosité au sujet de votre peur, vous vous placez un peu en retrait, comme si vous vous permettiez de vous regarder avoir peur. Bien sûr, vous ne pourrez pas réussir cet exercice en période de crise. Choisissez plutôt d'essayer avec quelque chose qui vous fait *juste un peu peur*; plus tard, avec de l'expérience et de l'assurance, vous pourrez arriver à surmonter vos plus grandes frayeurs.

Nous avons tous, dans nos vies, des personnes que nous préférons ne pas rencontrer : soit qu'elles nous rendent mal à l'aise, soit qu'elles nous font un peu peur. Prenez la décision de ne plus éviter de les rencontrer ; cessez de faire des détours pour éviter de vous trouver face à face avec elles. Bref, agissez comme si elles n'existaient pas. Ce faisant, vous refusez de vous laisser dicter votre conduite par vos peurs. C'est un premier pas, c'est *le* premier pas.

Il est certain que, lorsque vous allez croiser une personne qui vous fait peur, vos anciens mécanismes de peur, de prime abord, vont entrer en jeu ; mais ne pensez pas à ce qui devrait se produire, observez plutôt comment vous réagissez. Est-ce que vous tremblez ? Avez-vous trop chaud ou trop froid ? Examinez également les pensées qui vous passent par la tête : avez-vous réellement peur de cette personne, ou sont-ce vos pensées qui vous terrifient, un peu comme lorsque vous étiez enfant ?

Petit à petit, vous allez comprendre que c'est vous-même qui alimentez vos peurs par des pensées déraisonnables à l'égard de cette personne. Il est possible que vous ne l'aimiez jamais. Mais cela importe peu: vous n'avez pas à aimer tout le monde. Toutefois, vous cesserez de la craindre. Vous connaîtrez en quelque sorte l'étendue de vos peurs, mais aussi le pourquoi. Cette personne vous rappelle-t-elle des moments désagréables, des situations difficiles, quelqu'un qui lui ressemblait? Observez les pensées qui vous traversent l'esprit, analysez-les et vous serez libéré de cette peur.

Cette technique peut s'appliquer dans tous les domaines, par rapport à toutes les choses qui suscitent ce genre d'émotions en nous. Avec le temps, avec la connaissance de ce processus de pensée et à mesure que vous comprendrez ce qui se passe dans votre tête ou en vous, vous arriverez indiscutablement à désamorcer vos peurs.

Vous redeviendrez alors maître de votre vie, de vos pensées. Quel soulagement!

Se libérer de soi-même

Au premier abord, l'idée de se libérer de soi-même peut paraître extravagante, voire même un peu folle. Nous sommes ce que nous sommes, vous dites-vous, et rien ne peut y changer quoi que ce soit. Mais est-ce que, ce faisant, vous ne réagissez pas comme pour les peurs? Et si vous n'étiez pas vraiment ce que vous croyez être, si l'image que vous vous êtes faite de vous était un carcan, une cage que vous avez construite au cours des années, seul ou avec l'aide de votre entourage, de vos parents, de vos amis, etc.? Si vous étiez quelqu'un d'autre, auquel vous n'avez jamais laissé l'occasion de s'exprimer?

Nous avons vu, dans les pages précédentes, que la véritable intimité ne pouvait se vivre qu'avec des personnes qui acceptent les changements dans notre vie, qui acceptent notre évolution. Malheureusement, il existe bien des gens autour de nous qui préfèrent que les choses ne changent pas, qu'elles demeurent toujours les mêmes. Parfois, c'est nous qui agissons de cette façon et qui refusons le changement.

À la suite d'un bouleversement, toutefois, il devient impossible de nier le changement qui se produit, car il est aussi subit que brutal; mais on peut en tirer profit à la condition de savoir se libérer de son assujettissement, écarter ces contraintes que nous nous fixons nous-même, se débarrasser de ses idées préconçues. Bref, il faut savoir se libérer de soi-même et de la perception, des préconceptions que nous avons à notre égard.

Comment le faire? Voici quelques étapes qui vous permettront d'entamer cette démarche.

- Regardez la situation sans porter de jugement; prenez le temps d'examiner le plus objectivement possible ce qui arrive.
- Prenez conscience de la situation, ne paniquez surtout pas.
- Acceptez de ne pas être parfait, de vous sentir parfois pris au dépourvu.
- Regardez vos peurs en face; observez vos réactions et souvenez-vous que vous n'êtes pas vos peurs.
- Rendez-vous compte que vos réactions ne sont que des réflexes. Avant de fuir, regardez s'il y a vraiment du danger.

- Soyez vous-même et non pas ce que les autres veulent que vous soyez.
- Retenez que, pour régler un problème, vous devez d'abord le comprendre.
- Sachez ce qui vous convient, ce que vous voulez, et vous serez heureux.

Demandez-vous ce qui vous dérange le plus dans ces affirmations: c'est un bon point de départ pour commencer votre travail. Ce n'est pas un processus qui s'accomplit en quelques heures ou même en quelques jours, c'est le travail de toute une vie. Ces préceptes nous apprennent à changer, à évoluer avec les problèmes de notre existence. Mais, chaque jour, vous pourrez tirer profit des pas que vous avez faits la veille.

Se changer soi-même

Soyons réaliste, nous ne sommes ultimement responsable que de nous-même. En d'autres termes, la seule personne que nous puissions changer, c'est nous. Il faut cesser de supporter le poids de l'univers sur nos épaules!

Pour changer – changer vraiment –, il faut d'abord et avant tout que nous changions notre perspective, notre façon de voir les choses, que nous nous changions, *nous*.

Tant que nous percevrons les choses qui nous entourent de la même façon, nous allons vivre les mêmes problèmes. Revenons à l'exemple des premières pages du jeune homme qui a perdu l'usage de ses jambes. Avant que cela lui arrive, probablement pensait-il automatiquement, en voyant une personne en fauteuil roulant, que celle-ci était infirme;

selon ses idées préconçues, cette personne lui était probablement inférieure. S'il continue à penser de cette façon, il est indéniable qu'il se percevra lui-même comme moins qu'un homme. Bien sûr, il ne l'est pas. Mais il doit maintenant apprendre à s'affirmer autrement, à se démarquer d'une autre façon qu'il ne le faisait auparavant; il doit regarder les choses autrement. Ce n'est qu'ainsi qu'il pourra développer de nouveaux points d'intérêt, se créer de nouveaux défis, établir de nouveaux objectifs.

Prenons un exemple encore plus simple. Vous écrivez une lettre et voilà que vous faites une faute d'orthographe. Celle-ci, bien sûr, provient de votre intellect et, tant que celui-ci n'aura pas vu qu'une faute a été commise, elle restera sur le papier et vous ne la verrez même pas. Il faut que vous regardiez différemment, attentivement, que vous vous relisiez, pour reconnaître que vous avez fait une erreur. Une fois que vous en êtes conscient, vous n'en faites pas tout un plat. La corriger devient ainsi très simple.

Vous avez changé votre perspective et vous vous êtes rendu compte qu'il y avait une erreur. Soit! Vous pouvez choisir d'en faire tout un drame, une tragédie grecque avec la chorale qui se lamente, ou vous pouvez la corriger, tout simplement. Tout rentrera aussitôt dans l'ordre. N'est-ce pas plus simple? Pourtant, certains continuent de préférer en faire un drame...

Face à tous les problèmes que nous éprouvons, nous avons toujours une alternative: soit pleurer sur notre sort, soit agir, changer les choses et tirer profit des changements qui se produisent.

Mais personne ne peut décider pour quelqu'un d'autre, c'est à chacun de décider pour soi.

Apprenez à vous connaître

ÊTES-VOUS CAPABLE DE VOUS ORGANISER?

L'organisation: voilà un mot que l'on déteste souvent, mais qui n'en reste pas moins le mot clé de notre façon de réagir avec succès aux bouleversements pouvant surgir dans notre vie. Cest une qualité maîtresse sur bien des aspects. Mais l'organisation, qu'est-ce que c'est? Chacun a sa définition, aussi bonne que celle de l'autre. Dans la pratique, êtes-vous capable de vous organiser? Tel est le thème de ce quatrième test.

1. Dans vos tâches habituelles:

a) vous vous concentrez tellement sur les détails que vous en perdez le but final;

b) vous tenez compte des détails, mais sans plus;

c) vous ne vous occupez des détails qu'après avoir fait le gros de l'ouvrage.

2. Vous devez remettre un travail que vous n'avez pas terminé:

a) vous êtes pétrifié;

b) c'est la course contre la montre, même si vous savez que vous n'y arriverez pas;

c) vous vous dites que ce n'est ni la première ni la dernière fois.

3. Les comptes que vous recevez:

a) vous les réglez au fur et à mesure que vous les recevez;

b) vous attendez qu'ils s'accumulent et vous vous en débarrassez d'un seul coup;
c) vous les réglez souvent en retard.

4. Vous décidez de faire le ménage dans vos affaires:

a) vous le faites de mauvais cœur parce que c'est rendu nécessaire;
b) vous planifiez votre façon de le faire pour le terminer le plus rapidement possible;
c) vous le faites avec sérieux, en prenant tout le temps nécessaire.

5. Chez vous, les gens disent que c'est:

a) plutôt en désordre;
b) plutôt en ordre;
c) rangé, mais à votre façon.

6. Vous devez travailler en équipe:

a) ça vous laisse indifférent;
b) c'est quelque chose que vous aimez;
c) vous n'aimez pas ça, mais vous vous résignez à le faire.

7. Votre partenaire vous convainc de confier la décoration de votre appartement à un décorateur:

a) vous acceptez d'emblée;
b) vous acceptez, mais vous remettez au décorateur une liste précise de ce que vous voulez;
c) il est hors de question que vous cédiez.

8. On vous fixe un rendez-vous:

a) vous êtes toujours prêt avant l'heure;
b) vous êtes prêt à temps;

c) vous êtes toujours le dernier arrivé (ou l'avant-dernier!).

9. Vous devez retrouver un petit objet dans la boîte à gants de votre voiture:

a) vous savez exactement où vous l'avez rangé;

b) vous le retrouvez, mais non sans avoir vidé le coffre;

c) vous ne savez même pas si vous l'y avez rangé.

10. On vous propose, un vendredi soir, de passer un week-end impromptu dans les Laurentides:

a) vous ne savez pas ce qui vous attend, vous refusez;

b) vous acceptez tout de go;

c) vous êtes tenté, mais vous demandez une heure ou deux pour réfléchir.

Entourez vos réponses dans la colonne correspondante et accordez-vous le nombre de points indiqué.

	3 points	2 points	1 point
1.	c	b	a
2.	c	b	a
3.	a	b	c
4.	c	b	a
5.	c	b	a
6.	b	c	a
7.	c	b	a
8.	b	a	c
9.	c	a	b
10.	b	c	a

Si vous avez obtenu 21 points et plus:

Quoi qu'il se passe, vous n'êtes jamais pris au dépourvu. Vous vous sentez toujours en mesure de faire face à tous ces petits détails dont vous savez parfaitement que la plupart des gens passeront à côté. On pourrait même dire que cette capacité d'organisation est inconsciente, puisque vous n'avez pas besoin de réfléchir. Il y a quelque chose à organiser, à planifier, à arranger? Aussitôt, en quelques secondes, vous savez comment faire. Cela se déroule d'ailleurs à un tel niveau de votre inconscient que si une personne vous demande des conseils, elle ne reçoit guère de réponse qui puisse l'aider à vous imiter. Pour vous, l'organisation est quelque chose qui doit être fait, et vous le faites. C'est tout. Quand surviennent des bouleversements dans votre vie, vous êtes probablement mieux outillé pour en tirer profit rapidement.

Si vous avez obtenu de 11 à 20 points:

Pour vous, l'organisation est primordiale. Vous vous défendez d'ailleurs de pouvoir être surpris sans trouver de solution. Mais votre organisation relève davantage de la méthode, c'est-à-dire de la réflexion (parfois longue), qui vous oriente vers la solution à privilégier. Comme vous réfléchissez au problème qui survient, vous essayez même de ratisser plus large, au cas où... Vous êtes organisé, mais vous perdez beaucoup de temps pour exécuter des tâches qui, visiblement, n'en demandent pas autant. Bref, vous avez tendance à en faire trop. Lorsque surviennent des bouleversements, vous n'êtes pas nécessairement en meilleure posture que les personnes qui ont obtenu un résultat inférieur dans ce test.

Si vous avez obtenu moins de 11 points:

Tout va bien pour vous, à la condition que personne ne se mêle de vos affaires! Si vous pouvez agir comme bon vous semble, si vous avez un peu de temps pour réfléchir, si on ne vous demande pas de composer avec mille détails, vous vous arrangerez. Mais, si vous devez rendre des comptes ou imaginer l'organisation pour d'autres, tout devient très difficile. Comme vous n'aimez pas vous conformer aux règles établies, et cela vous est particulier, vous pouvez réagir habilement lorsque surviennent des bouleversements, car vous vous organisez très vite, sans réfléchir. Dans certaines situations, ce n'est pas l'idéal, bien sûr, mais dans celle qui nous concerne, eh bien... vous êtes champion!

Chapitre 5

Se connaître et se reconnaître

Cela vous semble un peu ridicule? Réfléchissez-y deux minutes: vous connaissez-vous vraiment? Lorsque vous regardez votre vie, vos acquis, vous reconnaissez-vous? Est-ce que vous voyez l'être que vous êtes ou simplement les possessions que vous avez accumulées? Au contraire, ne voyez-vous seulement que ce qui vous manque, les choses que vous ne possédez pas?

Faites le bilan. C'est simple: il vous suffit d'arrêter, de regarder et d'écouter. Qu'est-ce qui vous guide? Vos principes ou votre vanité? Votre enthousiasme ou vos peurs?

Êtes-vous victime de votre fausse identité, de votre carcan, d'un faux moi qui régit votre existence par la peur?

Le «faux moi» est le masque que nous portons tous les jours pour vivre une existence qui ne nous satisfait pas, une existence factice en somme. Toutefois, lorsque survient un bouleversement, cette fausse identité est mise en péril, et c'est le moment rêvé d'y mettre fin. Ce n'est pas facile, mais c'est essentiel pour arriver à découvrir qui nous sommes vraiment.

Ce faux moi, c'est également notre conditionnement, qui est la cause de nos répétitions malheureuses. Il se complaît dans la misère ou même dans un succès qui nous étouffe.

À quoi vous sert d'amasser une immense fortune si vous n'avez jamais le temps d'en profiter? À quoi vous sert de travailler sans répit si cela vous conduit à une crise cardiaque qui vous oblige à l'immobilité? À quoi vous sert d'empiler de bons vins si vous n'éprouvez pas de plaisir à les boire? À quoi sert d'amasser tout cela?

Cela sert à nourrir votre faux moi qui n'existerait pas sans cela. Il se nourrit de vos peurs, de vos sentiments d'infériorité, de vos prétentions. C'est une construction maladroite qui ne peut pas survivre lorsque vous êtes heureux, épanoui, lorsque vous faites ce que vous aimez vraiment. Si vous êtes bien dans votre peau, vous n'avez pas besoin de masque. Par contre, si vous souffrez, si vous êtes mal dans votre peau, vous êtes vulnérable et vous revêtez automatiquement un camouflage.

Voici un petit test. La prochaine fois que vous vous sentirez envahi par la peur, arrêtez-vous, ne bougez pas, accordez-vous un temps d'arrêt. Ne vous laissez surtout pas emporter par la panique. Ensuite, ne regardez pas dans la direction où vous voulez fuir, mais regardez plutôt d'où provient cette voix qui vous indique la direction à prendre. Soyez attentif; vous savez maintenant que les sentiments négatifs qui vous habitent s'alimentent de votre peur. Alors, si vous souffrez, regardez d'où provient cette douleur. Est-ce l'écho du passé, d'une situation similaire? Est-ce pour une autre raison?

Maintenant, écoutez. Si votre petite voix intérieure se fâche, si vous ressentez de la colère, vous avez gagné le gros lot, car vous venez de démasquer le faux moi qui vous lançait dans une course folle pour rien.

Un peu plus et vous tombiez dans le panneau. Vous pouvez vous permettre de rire un bon coup. Vous l'avez échappé belle; vous auriez pu retomber dans l'engrenage de vos *patterns* habituels. Courir après les moulins à vent a peut-être un certain charme mais, à la longue, c'est fatigant et cela ne sert à rien.

Vous voyez, le plus grand dilemme, c'est que, souvent, en fuyant un problème, nous nous jetons dans les bras d'un problème semblable, sinon pire. C'est un peu comme fuir les griffes d'un tigre pour se jeter dans la gueule d'un lion !

Au fil des jours, des mois, des années, nous apprenons à garder en nous des secrets qui nous ont blessé, qui nous ont fait souffrir et qui, parfois même, nous font encore ressentir de la souffrance. Celle-ci nous a été le plus souvent infligée par nos parents ou des personnes qui nous étaient chères. Les reproches, les remontrances (« Tu es trop bruyant... », « Tu parles trop fort... », « Tiens-toi droit... », « Ne pleure pas pour rien... », etc.) nous ont incité à changer nos attitudes, nos façons de nous conduire, d'être. Plus ces situations se sont répétées, plus nous avons appris à enfouir notre nature véritable pour empêcher que d'autres personnes puissent se servir de ces faiblesses (c'est le message que nous percevions de nos parents) pour nous causer du mal.

À force de répéter ce processus, que nous appliquons même dans notre vie adulte, nous en venons à ne plus savoir ce qui nous importe vraiment. Nous commençons à amasser des biens, à réaliser des choses, à nous fondre littéralement dans notre travail, nos activités. Nous finissons ainsi par croire que l'édifice que nous avons construit pour nous protéger des autres constitue notre véritable nature, qu'il est ce que nous sommes. On peut vivre ainsi longtemps, jusqu'à ce qu'un événement marquant se produise, bouleverse cet ordre établi et nous laisse complètement démuni.

Prenons comme exemple une femme qui a construit sa vie autour de son mari et de son statut social. Toute son énergie a toujours tourné autour des accomplissements de celui-ci, de sa carrière. On pourrait même dire, en fait, qu'elle n'existe pas vraiment: elle gravite dans l'ombre du *grand* homme. Puis, un jour, survient dans sa vie un bouleversement majeur: le divorce.

Du jour au lendemain, quelles que soient les raisons du divorce, la femme se retrouve complètement coupée de sa source d'identité. Qui est-elle? Elle a d'abord été la fille de quelqu'un; ensuite, elle a échangé ce rôle pour devenir la femme de quelqu'un. Pourtant, elle est un individu, un être humain à part entière. Le problème, c'est qu'elle l'a oublié, pour un temps plus ou moins long.

Dans ce cas-ci, elle a été totalement contrôlée par son faux moi; c'est lui qui a régi toute son existence, à un point tel qu'elle en a oublié qui elle était vraiment. Sous l'effet du choc, à l'annonce de la séparation, il est entendu que cette femme va souffrir, mais l'occasion lui est aussi offerte d'aller plus loin. Elle peut s'affranchir de son faux moi et enfin connaître sa véritable nature. Il est en son pouvoir de tourner ce bouleversement à son avantage. Elle peut et doit se retrouver, se séparer de sa fausse identité et laisser percer son moi véritable.

Pensez-y, c'est à la portée de tout le monde. Vous pouvez vous laisser anéantir ou vous pouvez chercher une solution. Une fois que vous aurez découvert votre vrai moi, une nouvelle existence se fera jour et vous recommencerez à jouir de la vie selon vos propres conditions, selon vos propres besoins. C'est tellement mieux de faire ce qui est en accord avec sa nature!

Vous avez créé votre faux moi de toutes pièces. À vous maintenant de vous en libérer.

Tourner la défaite en victoire

Dans les faits, comment tourner la défaite apparente d'un bouleversement en victoire ?

Il faut d'abord examiner la situation de façon calme et réfléchie. Les bouleversements n'arrivent pas sans raison, sans cause et, malheureusement, ils se produisent parfois à répétition. Nous passons d'ailleurs notre vie à reproduire des modèles qui nous ramènent souvent à la case de départ. Par exemple, si une femme qui vit un divorce ne regarde pas la réalité en face, elle finira par trouver un nouveau conjoint dont elle fera le centre de son existence pour un temps, ou elle peut encore décider que ses enfants deviendront la nouvelle pierre angulaire de sa vie. Mais, c'est bien connu, les enfants quittent le foyer maternel et décident un jour de voler de leurs propres ailes. Quel sera, pour cette femme qui a fait ce choix, le résultat ? Elle aura sacrifié son existence et sera passée à côté de sa vie au lieu de la vivre.

Devant des modèles récurrents ou des situations qui se produisent à répétition, il serait bon de s'arrêter et de se poser les questions suivantes pour y voir clair.

Qu'y a-t-il en moi qui attire ou provoque de telles situations ? C'est une question pertinente à se poser lorsque les situations critiques se répètent, lorsque vous vous rendez compte que vous attirez toujours le même type de personnes ou le même genre de problèmes. Il s'agit de changer, en vous, l'aimant qui attire ces personnes ou ces situations. C'est l'occasion de faire quelque chose au lieu de souffrir et d'être victime des événements. Il faut agir au lieu de subir.

Pourquoi les événements et les gens ont-ils une si grande influence sur mes émotions? Il n'est pas question de devenir insensible; observez plutôt votre attitude devant un commentaire désobligeant, devant un abus verbal ou physique. Est-ce que vous réagissez comme un enfant de cinq ou six ans ou comme un adulte qui a une identité propre, des besoins et des sentiments, qui sait s'affirmer sans se laisser emporter par ses émotions?

Pourquoi est-ce que je cherche toujours à me protéger? Êtes-vous toujours dans une situation où l'on abuse de vous, où l'on vous maltraite? Si oui, il existe des centres, des personnes pour vous aider. Par contre, si vous vous protégez simplement *au cas où*, est-ce vraiment nécessaire? Votre nature est-elle si atroce ou ne serait-ce pas plutôt qu'elle vous est inconnue?

Pourquoi suis-je toujours en train de souffrir du comportement des autres? Est-ce que les reproches s'adressent toujours à vous? Si c'est le cas, pourquoi demeurer dans un environnement si néfaste? Changez-le, que diable!

Mes décisions me sont-elles dictées par la peur? On ne le répétera jamais assez: la peur est mauvaise conseillère, surtout lorsqu'elle provient du faux moi, qui se refuse à vous laisser évoluer, vous transformer.

Les personnes qui m'entourent sont-elles bonnes pour moi? C'est une question difficile mais, si votre entourage refuse de vous voir évoluer, vous empêche de changer, vous devriez songer sérieusement à limiter leur rôle dans votre vie, voire à les délaisser. Après tout, c'est de votre existence qu'il s'agit. Vous n'êtes pas venu au monde pour satisfaire leurs besoins, mais les vôtres.

Qu'est-ce que je veux? l'approbation des autres ou une vie riche et remplie? C'est le choix que vous devez faire. Vous connaissez le dicton: «On ne peut plaire à tout le monde et à son père.» Dans la vie, c'est exactement cela. Si vous recherchez constamment l'approbation de tous, qu'est-ce qui vous reste à vous et qu'est-ce qui reste *de* vous?

Quelle leçon puis-je tirer de ces événements bouleversants? C'est une meilleure question que de nous demander pourquoi nous sommes victime d'un bouleversement. En voyant les choses d'un autre angle, vous pouvez corriger ce qui appelait ces changements. Vous découvrirez peut-être que ce bouleversement, au-delà du choc, a des conséquences heureuses...

Mais, à tout moment, vous avez le choix: soit rester impuissant, soit vous affranchir de cette impuissance; soit rester dans le moule, soit le briser. Après tout, ce moule n'était-il pas devenu un peu étroit?

Apprenez à vous connaître

ÊTES-VOUS CAPABLE D'ÊTRE DYNAMIQUE?

La satisfaction de la vie que l'on mène va souvent de pair avec le dynamisme. Plus nous sommes satisfait de notre condition, plus nous pouvons laisser notre véritable moi s'exprimer. Mais il y a quand même des matins où l'on souhaiterait rester au lit à ne rien faire. Cela n'est pas nécessairement mauvais en soi et n'indique rien de particulier, puisque nous avons notre propre façon d'exprimer notre dynamisme. Et vous, comment l'exprimez-vous? C'est ce que ce cinquième test vous apprend.

1. Le fait d'avoir à faire face à des difficultés:

a) vous fouette;

b) vous fait prendre une pause avant de décider comment agir;

c) vous inquiète.

2. Vous aimez vous coucher aux petites heures, quitte à manquer de sommeil:

a) non;

b) oui;

c) cela peut vous arriver à l'occasion.

3. Le manque de sommeil:

a) vous fait vous sentir mal. Vous avez de la difficulté à trouver le rythme de la journée;

b) ne vous dérange pas, si cela ne se produit pas trop souvent;

c) ne paraît absolument pas.

4. Travailler en groupe vous incite à:
- a) dépasser vos limites habituelles;
- b) être comme vous êtes habituellement;
- c) en faire un peu plus si les membres de l'équipe vous plaisent.

5. L'impulsivité, c'est:
- a) quelque chose que vous ne connaissez pas;
- b) quelque chose que vous connaissez, mais que vous maîtrisez;
- c) quelque chose que vous ne contrôlez pas.

6. Vous vous engagez dans un projet qui vous tient à coeur:
- a) vous faites tout pour atteindre les buts fixés;
- b) vous avez parfois des difficultés à vous concentrer;
- c) vous planifiez tout ce que vous devrez faire.

7. L' efficacité, c'est:
- a) une qualité que vous estimez très importante;
- b) une qualité que vous estimez importante, mais dans une certaine mesure;
- c) une qualité que vous n'êtes pas toujours certain de posséder.

8. Estimez-vous être un leader?
- a) vous croyez l'être;
- b) non, cela n'est pas votre genre;
- c) cela vous arrive de l'être.

9. En ce qui concerne l'action:
- a) vous adorez bouger, agir;
- b) vous la favorisez, mais à la condition d'être assuré du résultat;

c) vous l'estimez nécessaire, mais dans des moments exceptionnels.

10. Vous êtes sur une route, vous faites tout à coup face à un mur:

a) vous imaginez facilement une façon de le franchir;

b) vous essayez de trouver le moyen de le contourner;

c) vous êtes stupéfait: un mur, en plein milieu de la route?

Entourez vos réponses dans la colonne correspondante et accordez-vous le nombre de points indiqué.

	3 points	2 points	1 point
1.	a	b	c
2.	b	c	a
3.	c	b	a
4.	a	c	b
5.	b	c	a
6.	a	c	b
7.	a	b	c
8.	a	c	b
9.	a	b	c
10.	a	b	c

Si vous avez obtenu 21 points et plus:

Vous êtes animé par un dynamisme remarquable. Devant chaque situation qui se produit, vous savez très précisément comment agir pour orienter les choses de manière à ce qu'elles vous soient favorables. Le plus important n'est pas tellement l'action en tant que telle – ça vous intéresse peu –, mais plutôt le résultat que vous obtenez. Chaque fois que cela se produit, vous y voyez, d'abord et avant tout, un défi passionnant. En ce sens, vous avez une emprise sur les situations qui surgissent dans votre vie. Les bouleversements ne vous effraient pas; vous auriez même tendance à les provoquer lorsque vous les jugez nécessaires. Vous assumez pleinement la responsabilité de vous-même et de vos actes. Attention, cependant, à une «fuite en avant» qui pourrait vous conduire on ne sait où...

Si vous avez obtenu de 11 à 20 points:

Votre dynamisme dépend de la façon dont vous vous sentez. Vous devez être d'accord avec les événements et les situations pour accepter de passer à l'action. Si ça ne vous intéresse pas, personne ne pourra vous convaincre de faire quoi que ce soit – peu importe que l'on agite une carotte ou que l'on vous menace d'un bâton. En ce sens, c'est donc sur vos motivations que vous devez agir si vous décidez, bien sûr, d'accroître votre dynamisme.

Si vous avez obtenu moins de 11 points:

Une gêne ou certaines difficultés vous empêchent d'exprimer votre dynamisme comme vous le voudriez. Avant même de faire le moindre geste, vous pensez à ce que les autres diront. Cette attitude est dangereuse, car vous vous placez en retrait de l'action. Vous risquez plus de subir les situations qu'autre chose. C'est vraiment dommage parce que vous pourriez facilement offrir un meilleur rendement. Comment? Tout simplement en décidant de faire plus que maintenant. Cela passe toutefois par un changement par rapport aux perspectives que vous vous offrez et... à une plus grande assurance dans vos moyens.

Chapitre 6

Le courage d'être courageux

Pour nous affranchir des contraintes qui empêchent notre véritable personnalité de s'exprimer (peurs, impuissance, idées préconçues, etc.), il faut adopter de nouveaux principes, une nouvelle façon de voir la vie.

D'abord, quels sont vos principes? Vous servent-ils dans la vie de tous les jours ou sont-ils un ramassis de lieux communs qui ont flotté jusqu'à vous?

Pour vous affranchir de vos peurs, pour tirer profit des bouleversements qui surviennent dans votre vie, il faut que vous accordiez vos principes à vos actions. On ne peut agir sans établir le lien entre les deux. Pour ce faire, vous devez toutefois vivre selon des principes simples qui reflètent votre pensée, vos actions et desquels découlent les résultats qui favorisent votre évolution ainsi que l'émergence de l'harmonie et de la plénitude dans votre vie.

Ces principes simples vous permettent d'avoir une base, un point de départ. Une fois que vous les avez intégrés dans votre quotidien, vous pouvez les transformer, les ajuster, en faire ce que vous désirez. Ils vous appartiennent. Ils constituent les préceptes sur lesquels vous bâtissez votre vie; ils doivent donc s'accorder avec le genre d'existence qui vous convient. En voici des exemples.

- Avoir du courage, c'est refuser d'agir en écoutant ses faiblesses. Lorsqu'on est en situation de faiblesse, on ne peut tout simplement pas agir avec discernement. Il faut prendre du recul, se calmer et attendre un peu avant de décider de faire un geste, une action. Il ne faut pas confondre le courage et la témérité – foncer tête baissée dans n'importe quelle direction. Cette course risque de nous mener directement à reproduire nos modèles habituels. Au contraire, nous devons comprendre ce qui donne naissance à nos faiblesses ou à ce qui nous semble être des faiblesses. Par la suite, on est prêt à prendre une décision.

- Avoir du courage, c'est persévérer malgré sa peur. Lorsqu'on décide de vivre selon ses principes, on brise avec les traditions, avec l'image ou l'idée que les gens se font de nous. Cette décision peut nous effrayer parce qu'elle nous vaudra peut-être des remarques désobligeantes, mais ça en vaut la peine si vous avez décidé de vivre de façon autonome et non par procuration.

- Pardonner, c'est comprendre que l'autre voit les choses différemment. Cela n'implique pas que vous vous mettiez à la place de l'autre et que vous compreniez ce qu'il ressent; vous devez plutôt accepter que cette personne ait une vision différente de la vôtre. Vous n'avez pas à continuer à la voir si cela vous oblige à trahir vos principes. Vous n'avez qu'à pardonner et à continuer votre chemin.

- Avoir de la compassion pour les autres. C'est la volonté intrinsèque de ne pas ajouter à la douleur de ceux qui vous entourent. Encore une fois, cela ne veut pas dire de faire tout ce que les autres veulent, cela veut dire de ne pas ajouter à leurs problèmes.

- Garder espoir qu'il existe toujours une solution. Vous ne la connaissez pas encore, mais vous la trouverez – elle existe. Il suffit de regarder dans la bonne direction.

Toutefois, avoir des principes ne signifie pas devenir rigide, croire que l'on est seul à détenir la vérité. Attention à ce piège!

Éviter les pièges du pouvoir

Le plus grand piège, cependant, c'est de chercher notre force ailleurs qu'à l'intérieur de nous. En effet, c'est là qu'elle est, mais nous l'avons ligotée avec nos peurs, nos inquiétudes, nos faiblesses. Pour retrouver cette force, notre pouvoir personnel, il faut découvrir ce qui est à l'origine de nos troubles, de nos angoisses; ce n'est pas à l'extérieur de nous que nous trouverons ce qui nous empêche d'avancer.

Un second piège, c'est de tenter de contrer nos faiblesses par un apport de force nouvelle. Il faut comprendre, accepter et vaincre nos faiblesses, les regarder en face et les voir pour ce qu'elles sont. Répétons-le: nous ne sommes pas nos peurs.

Le seul pouvoir que l'on puisse posséder, en fait, c'est sur nous-même. Croire autre chose, c'est se faire des illusions coûteuses et nous emprisonner dans un cercle infernal de rapports de domination.

On ne peut d'ailleurs trouver l'autonomie en encourageant d'autres à dépendre de nous ou, à l'inverse, en dépendant des autres. C'est le plus sûr moyen de perdre le respect de soi. Il faut apprendre à s'assumer, à accepter ses responsabilités: c'est la seule voie du pouvoir personnel.

Une fois que vous commencerez à vivre en accord avec vos principes, vous allez faire de merveilleuses découvertes:

- vous ne serez plus déçu par la vie ou les événements;
- vous allez améliorer vos chances de succès;

- vous allez connaître le calme et la sérénité;
- vous allez devenir conscient et sensible à votre environnement;
- vous ne vous laisserez plus abattre par une simple erreur, vous la corrigerez;
- vous deviendrez maître de votre vie;
- vous serez en harmonie avec l'univers.

Cependant, si vous vivez sans identité propre, sans principe personnel:

- vous aurez l'impression que le monde entier est contre vous;
- vous serez toujours prêt à tout sacrifier pour obtenir quelque chose, y compris votre intégrité;
- vous serez toujours en conflit avec les autres et avec vous-même;
- vous serez toujours épuisé;
- vous ne serez jamais satisfait, quelles que soient vos réalisations;
- vous vous sentirez constamment en compétition avec les autres;
- vous évaluerez votre valeur personnelle à la mesure de vos possessions; vous devrez pourtant vous rendre compte que vous n'êtes pas vos possessions. Il faut remettre les choses en perspective: même si vous perdez vos biens, vous demeurez vous-même.

Pour vous faciliter la tâche, voici quelques conseils qui s'harmonisent avec votre quête d'autonomie et vous permettent de voir clair dans votre vie.

- Si vous ne décidez pas vous-même quoi faire de vous, il se trouvera toujours quelqu'un qui se fera un plaisir de le faire à votre place.
- Plus vous recherchez l'approbation de tous, plus vous devez faire des compromis.
- Ne demeurez pas dans une relation qui vous étouffe; cela est mauvais tant pour vous que pour l'autre.
- Si vous laissez quelqu'un contrôler votre vie, celle-ci ne vous appartient plus.

C'est assez simple comme principe, non? Si vous vivez des situations semblables, faites l'effort de partir, d'aller vous réfugier ailleurs pour décider ce que vous voulez devenir. C'est vous – et vous seul – qui devez décider.

Avant de demander à quelqu'un d'autre ce qui est bon pour vous, regardez attentivement cette personne non pas pour la juger, mais pour savoir... Est-ce qu'elle sait avant tout ce qui est bon pour elle-même? Si la réponse est négative, dites-vous bien que vous avez autant de chance qu'elle de trouver la réponse que vous cherchez. Comme personne ne peut jamais être sûr d'une situation, fiez-vous à votre jugement.

Dans l'enfance, nous avions besoin de l'approbation de nos parents pour survivre, pour former notre identité; mais vous avez changé, vous êtes devenu adulte: acceptez-le et, surtout, assumez-le.

Les signes annonciateurs

On entretient habituellement l'idée qu'un bouleversement ne s'annonce pas, que c'est quelque chose d'aussi soudain que violent. Or ce n'est pas nécessairement vrai. D'une certaine façon, les bouleversements sont prévisibles car, en quelque sorte, ils s'annoncent. Nous ne sommes tout simplement pas à l'affût des signes avant-coureurs de cet événement marquant.

Il faut comprendre qu'en un certain sens nous portons tous, en nous, les germes qui font naître les bouleversements dans notre vie. Il n'est pas question, ici, de chercher qui est responsable du bouleversement pour lui faire porter le blâme.

Si nous vivons un bouleversement, c'est à nous de régler ce problème; il s'agit de notre existence, pas de celle du voisin. Rejeter la faute sur les autres ne donne absolument rien, sinon masquer les racines du mal. Même si c'était vrai, même si d'autres étaient responsables de ce qui nous arrive, est-ce qu'ils viendront régler le problème pour nous? Et le feraient-ils que ce ne serait pas nécessairement à notre entière satisfaction.

Bref, vous pouvez demeurer des spectateurs de votre vie, c'est votre choix. Toutefois, si vous avez décidé de regarder passer la parade plutôt que d'y participer, vous n'avez pas le droit de vous plaindre.

Notre corps est incontestablement le meilleur informateur quant à ce qui s'annonce; il nous communique sans cesse des messages, souvent sous forme de malaises ou de symptômes auxquels, malheureusement, nous ne portons pas vraiment attention.

C'est une erreur, car ces symptômes agaçants signalent souvent l'arrivée de problèmes beaucoup plus sérieux.

Notre corps réagit à nos pensées, à nos paroles. Si vous avez peur, votre corps frissonne, se couvre de sueur; si vous êtes en colère, votre pression augmente, votre visage rougit, et ainsi de suite. Il existe plusieurs correspondances entre des malaises ou des maladies et vos états d'âme. Cela ne veut pas dire qu'il faut cesser de vous faire soigner, mais vous aurez de bonnes indications quant à votre façon de voir la vie et... de vivre.

Si vous arrivez à décoder les messages que vous fait parvenir votre corps, peut-être vous sera-t-il possible de voir venir un bouleversement majeur et de vous préparer en conséquence. À ce moment-là, ce dernier, qui devait tout détruire sous son passage, pourra se transformer et changer certains éléments dans votre vie au lieu de la détruire.

Voici quelques signes dont vous devriez tenir compte pour prévenir plutôt que guérir. Les caractéristiques mentionnées sont présentées à titre d'exemples. Elles ne constituent pas des diagnostics. Si vous ressentez des symptômes de maladies, consultez un médecin. Si vous diminuez votre stress, vous vous sentirez mieux, mais l'avis d'un professionnel de la santé vous aidera à faire des choix éclairés.

- *La perte des cheveux*

  Elle peut signifier une mauvaise gestion de votre stress ou un niveau de stress trop élevé. Apprenez à vous détendre; initiez-vous à la méditation ou au yoga. Prenez des vacances: c'est tellement mieux qu'un *burn-out*.

- *Problèmes d'oreilles*

  Des bourdonnements peuvent indiquer que vous refusez d'écouter votre petite voix intérieure ou des commentaires qui vous agacent. Portez attention à ce que l'on vous dit et prenez action. Des maux d'oreilles peuvent signifier une colère qu'on refoule ou qu'on se refuse à admettre.

- *Problèmes des yeux*

  Si votre vue baisse, consultez votre optométriste. Mais, si vous constatez que vous avez souvent des poussières dans l'œil, cela pourrait indiquer que vous refusez de voir des évidences, que vous fermez les yeux sur des choses qui vous dérangent ou qui vous choquent. N'attendez pas que la situation dégénère; gardez les yeux ouverts. Faire l'autruche n'éloigne jamais les problèmes. Si vous avez la tête dans le sable lorsque survient un bouleversement, vous aurez d'excellentes chances d'essuyer un échec.

- *Maux de tête*

  Ils peuvent indiquer que vous vous dénigrez et vous vous laissez rabaisser par des gens de votre entourage. Examinez s'il existe une relation entre l'apparition de vos maux de tête et celle d'une personne qui vous critique constamment. Si tel est le cas, expliquez-vous avec elle ou cessez de la voir.

- *Problèmes de cou*

  Il représente notre flexibilité de compréhension, notre capacité de comprendre la position des autres, particulièrement lorsqu'on ne la partage pas. Des torticolis à répétition sont peut-être une invitation à élargir vos horizons, à faire preuve d'une plus grande ouverture d'esprit.

- *Perte de la voix*

Elle indique une difficulté à nous exprimer, à faire valoir nos idées. Elle peut aussi être causée par de la colère reliée à une injustice qu'il nous a été impossible d'exprimer ou de dénoncer comme des paroles qui nous restent prises dans la gorge. Il est parfois difficile de nous exprimer, mais nous devons le faire, sinon nous finirons par ne plus être capable de dire ce que nous voulons.

- *Problèmes d'épaules*

Parfois, nous avons l'impression de porter le poids des problèmes du monde sur nos épaules. Lorsque vous êtes devant un problème personnel, courbez-vous l'échine, sentez-vous comme une lourdeur sur les épaules? Si oui, apprenez à détendre vos épaules, à les secouer vigoureusement. Notre posture indique notre état d'âme; n'adoptez pas systématiquement une posture de défaite. Relevez les épaules, bougez-les, faites-les rouler en pensant à autre chose, en visualisant que vous réglez vos problèmes. Lorsque vous sentez le poids du monde s'abattre sur vous, soyez conscient que vous ne pouvez être responsable que pour vous-même.

- *Maux de dos*

Les maux de dos apparaissent souvent lorsque nous nous inquiétons pour notre sécurité matérielle. Regardez autour de vous et demandez-vous quelle est votre base d'appui. Sur qui pouvez-vous compter pour vous venir en aide? Examinez aussi le nombre de personnes qui dépendent de vous. Votre famille immédiate compte sur vous, mais pouvez-vous compter sur son appui? Dans toute association, il doit y avoir un échange, pas nécessairement matériel, qui est primordial pour la survie de la famille ou de l'association. Sinon, le *pourvoyeur* risque de se sentir lésé. N'attendez pas qu'il soit trop tard pour demander l'appui de vos proches. Faites le ménage autour de vous. Cela ne sert à rien de garder dans votre entourage des personnes qui abusent de vous et n'ont que des critiques à vous adresser.

- *Douleurs à la poitrine*

On pourrait s'étendre longuement sur les effets du tabagisme et du tort qu'il cause, mais ce n'est pas notre propos ici. Vous savez pourquoi vous fumez et c'est à vous de prendre une décision à ce sujet. Il est plutôt question, ici, de la sensation d'être oppressé sans qu'il y ait de cause physique, comme si vous sentiez un poids sur la poitrine. Celui-ci est relié à vos émotions non résolues, à celles que vous enfouissez au fond de votre être et que vous refusez de laisser aller.

- *La constipation*

Elle indique souvent une difficulté à nous libérer de notre passé, de nos problèmes. Cela peut être un signe que nous refusons de nous débarrasser de notre excès de bagages; non seulement nous nous complaisons à ressasser les défaites que nous avons essuyées, mais nous regardons aussi nos victoires comme des exploits que nous ne pourrons jamais reproduire. Pour aller de l'avant, il faut cesser de traîner son passé comme un boulet et le laisser là où il appartient, aux souvenirs.

- *Les raideurs*

Il peut s'agir des raideurs de notre esprit, de notre difficulté à voir les événements dans une nouvelle perspective. Elles sont souvent la marque d'un perfectionnisme qui tente de cacher une étroitesse d'esprit paralysante. Elles symbolisent le carcan spirituel et intellectuel dans lequel nous avons enfermé notre créativité. Souvenez-vous du roseau qui plie dans le vent : il reste lui-même ; sa souplesse lui permet de passer au travers des pires orages. Il ne perd pas son identité pendant l'orage. Un peu de souplesse d'esprit vous permet de garder ce qui vous est cher.

- *L'embonpoint*

Lorsque nous parlons d'embonpoint, il ne s'agit que de quelques kilos en trop, pas d'un désordre constant de votre alimentation. L'embonpoint est un problème courant et souvent récurrent dans la vie de la majorité d'entre nous. Il indique un besoin de nous protéger, de nous envelopper pour avoir un *coussin* entre nous et les critiques, l'abus verbal, les affronts. Examinez-vous soigneusement. Est-ce que vous prenez quelques kilos lorsque vous ne vous sentez pas en sécurité ? Souvent, ce surplus de poids disparaît lorsque vous réglez votre situation parce que vous n'avez plus besoin de vous protéger contre les éléments extérieurs. L'anorexie et la boulimie, par contre, représentent de sérieux problèmes. Elles indiquent un refus de vivre et une haine profonde de soi. Ces maladies nécessitent des traitements médicaux sérieux et les soins d'un professionnel de la santé mentale.

- *Douleurs aux jambes*

  Elles représentent notre faculté de nous mouvoir. Des problèmes mineurs pourraient vous indiquer que vous avez peur d'aller de l'avant, que vous craignez de prendre une certaine direction.

- *Problèmes d'estomac*

  Nous avons tous eu à subir des problèmes de digestion un jour ou l'autre. Ils peuvent indiquer que vous avez de la difficulté à assimiler la nouveauté, les idées nouvelles, ce qui remet en question votre façon de voir les choses et vous pousse à transformer vos convictions. Des problèmes gastriques mineurs peuvent représenter votre peur des nouvelles expériences.

- *Ulcères*

  Les ulcères sont souvent le résultat de la crainte de ne pas être à la hauteur, d'être en dessous de tout, d'être incapable de satisfaire les exigences de notre patron, de nos amis, de notre famille, etc. La peur, l'anxiété et l'angoisse nourrissent cette condition et, souvent, il suffit de rehausser notre niveau d'estime de soi afin d'aider notre condition.

Tous ces symptômes indiquent des malaises tant physiques que psychologiques dans notre vie. Ils sont souvent les signes précurseurs de grands bouleversements à venir.

N'attendez pas qu'il soit trop tard pour contrer ces malaises; occupez-vous de votre santé et ménagez-vous du temps pour réfléchir. Surtout, ne faites pas l'erreur de croire qu'ils vont disparaître comme par enchantement; ils risquent plutôt de s'aggraver et de vous faire souffrir encore plus. Il n'est pas seulement question ici de prendre des médicaments, il faut que vous alliez un peu plus loin. En soignant votre corps, vous devez vous soucier de la santé de votre esprit, de vos sentiments et de vos émotions.

Vous êtes un tout, pas un assemblage de pièces qui n'ont aucun rapport les unes avec les autres – votre corps et votre esprit fonctionnent de concert. Vous n'êtes pas un pur esprit, vous devez vous occuper de votre corps; vous n'êtes pas simplement une machine biologique, vous devez aussi vous préoccuper de vos besoins intellectuels et spirituels.

Apprenez à vous connaître et à vous faire connaître!

ÊTES-VOUS CAPABLE DE COMMUNIQUER VRAIMENT?

La communication est incontestablement devenue le mot clé de notre société moderne, et ce, aussi bien dans notre vie personnelle que dans notre vie sociale, spirituelle et professionnelle. Nous devons savoir communiquer vraiment, être à l'aise avec différentes personnes, trouver le mot juste pour l'idée précise. Ce sixième test vous donne l'occasion de découvrir votre habileté à communiquer.

1. **Vous avez quelque chose d'important à dire:**
   a) vous bafouillez, vous n'arrivez pas à trouver les mots justes;
   b) vous préparez avec soin ce que vous voulez dire;
   c) vous dites librement ce que vous ressentez.
2. **Vous êtes en présence d'une personne avec qui vous ne vous sentez pas à l'aise:**
   a) vous vous refermez sur vous-même;
   b) vous l'ignorez, tout simplement;
   c) vous essayez d'écarter ce qui vous indispose en espérant découvrir des points communs.
3. **Vous êtes appelé à parler devant un public:**
   a) vous êtes heureux de le faire;
   b) vous êtes mal à l'aise, mais vous cherchez à le dissimuler;
   c) vous paniquez.

4. De nature, vous estimez être une personne:

a) plutôt renfermée;

b) plutôt loquace;

c) plus ou moins bavarde, selon les gens avec qui vous parlez.

5. Vous voulez absolument parler de quelque chose:

a) vous préparez la façon d'amener le sujet;

b) vous attendez qu'on vous offre l'occasion de l'aborder;

c) vous essayez de l'aborder, mais d'une manière détournée.

6. Tout jeune:

a) vous aimiez raconter des histoires à vos amis;

b) vous aimiez entendre les autres raconter des histoires;

c) vous préfériez vous plonger dans les livres.

7. Pendant que vous parlez de choses intimes avec une personne, une autre s'approche:

a) vous changez de sujet;

b) vous poursuivez comme si de rien n'était;

c) vous lui faites comprendre que la conversation est privée.

8. Vous préférez:

a) écouter plus que parler;

b) parler plus qu'écouter;

c) ni l'un ni l'autre; vous trouvez l'équilibre entre les deux.

9. Dans vos conversations:

a) vous estimez habituellement ne pas pouvoir exprimer le fond de votre pensée;

b) vous jugez être en mesure de parler vraiment de ce dont vous voulez parler;

c) vous oscillez entre les deux.

10. Vous préférez:

a) les jeux de société;

b) les mots croisés ou les jeux qui se jouent en solitaire;

c) n'importe quels jeux, mais avec des amis.

Entourez vos réponses dans la colonne correspondante et accordez-vous le nombre de points indiqué.

	3 points	2 points	1 point
1.	c	b	a
2.	c	b	a
3.	a	b	c
4.	b	c	a
5.	a	c	b
6.	a	b	c
7.	b	c	a
8.	c	b	a
9.	b	c	a
10.	c	a	b

Si vous avez obtenu 21 points et plus:

On ne peut que vous féliciter: vous accordez l'importance qu'il se doit à la communication – sous tous ses aspects – entre vous et les autres. Vous avez des choses à dire, vous les dites, mais vous savez également prêter l'oreille lorsque quelqu'un d'autre s'exprime. Vous savez sûrement déjà cela, puisque cette facilité à communiquer avec les autres vous donne un grand ascendant sur eux et vous en tirez profit. Cette communication qui, chez vous, se fait aussi bien par la parole que par le geste ou l'action, vous permet surtout d'éviter d'accumuler les émotions négatives. Comme vous savez écouter, beaucoup de gens sont prêts à vous écouter lorsque vous traversez une période critique.

Si vous avez obtenu de 11 à 20 points:

Vous paraissez être plutôt introverti; il vous arrive parfois de ne pas réussir à exprimer ce que vous ressentez vraiment, ce que vous vivez. Bien sûr, tout le monde s'accorde à le dire, vous pouvez communiquer aisément, mais personne ne prend vraiment conscience que cela ne se fait que lorsque vous vous sentez en terrain connu ou quand vous possédez à fond tous les éléments de la situation. Cependant, si vous vivez une période critique, si vous traversez des moments difficiles, ou encore si vous vous sentez dévalorisé, vous vous taisez. C'est triste parce que c'est justement à ce moment-là que vous devriez le plus vous exprimer pour éviter d'accumuler des rancœurs ou de fausses impressions. Votre potentiel de communication pourrait ainsi mieux s'adapter à votre vécu et vous seriez le premier à en tirer profit.

Si vous avez obtenu moins de 11 points:

La communication n'est pas votre point fort. Les résultats du test révèlent que vous vous intéressez probablement plus à vous-même qu'aux autres. Ne voyez pas là une question de jugement; c'est aussi, sans doute, que vous n'avez pas la parole facile, comme on dit, et que vous vous refermez rapidement sur vous-même si vous croyez ne pas être écouté. Mais, surtout dans des situations de bouleversements, vous devriez apprendre à vous ouvrir, à partager vos états d'âme, à extérioriser vos sentiments. Sinon, vous risquez d'accumuler des rancœurs, de vous taire et un jour, vous exploserez. Faites donc les efforts nécessaires. Parlez, dites ce que vous êtes, ce qui vous intéresse; allez vers les autres, donnez-leur la réplique. Cela exigera indiscutablement un effort de votre part, mais vous y trouverez rapidement satisfaction.

Chapitre 7

Ouvrir ses horizons

Nous devons transformer notre vision de la vie et cesser de nous enliser dans nos pensées qui font que nous tournons en rond et qui ne nous mènent nulle part. Comment? En acceptant que, pour sortir du tunnel, il faut le traverser d'un bout à l'autre. Lorsque nous sommes au milieu d'un bouleversement ou de transformations douloureuses, il faut accepter de passer au travers, de les affronter. Souvent, nos pensées nous gardent malheureusement dans le tunnel beaucoup plus longtemps que la situation ne le demande, car elles génèrent l'énergie qui nous y a placé.

Il faut changer de perspective, changer notre façon de voir les choses.

- Lorsque nous prenons conscience que nous avons peur de ce que nous ne comprenons pas, il serait utile de nous rendre compte que notre peur nous empêche de comprendre.
- Lorsque nous voyons que nous n'obtenons pas de réponses aux questions qui nous inquiètent, il serait utile de nous rendre compte que se tourmenter ne sert à rien et ne répond pas plus à nos questions.
- Lorsque nous demandons au passé de nous guider vers le futur, il serait bon d'examiner si nous voulons que notre passé ait le contrôle sur notre avenir.
- Lorsque nous reconnaissons que nous détestons avoir tort, il serait plus utile de nous demander pourquoi

nous ressentons toujours le besoin de prouver que nous avons raison.

- Lorsque nous constatons que nous vivons dans le passé ou que nous le regrettons amèrement, il serait utile de comprendre que nous nous volons nous-même en laissant passer l'occasion de réaliser encore de meilleurs projets.

Comme vous voyez, il ne s'agit pas de revirement total de pensée, il suffit simplement de changer l'angle sous lequel vous examinez les choses.

Reconnaître les pensées néfastes

Les pensées néfastes sont comme des invités qui s'installent chez vous en se faisant passer pour des amis. Si l'on garde cette analogie en tête, on s'aperçoit rapidement qu'elles se conduisent exactement de la façon dont un intrus se conduirait.

Par exemple, vos véritables amis:

- annoncent leur arrivée;
- savent se conduire de façon correcte;
- sont agréables à recevoir;
- sont serviables et offrent de vous aider;
- n'ajoutent pas à votre stress;
- ne critiquent pas systématiquement vos habitudes, votre personne et vos goûts;
- lorsqu'ils partent, vous avez déjà hâte de les revoir.

Quant aux intrus, ils:

- arrivent sans s'annoncer et souvent au pire moment;
- ont des exigences démesurées, tout leur est dû;
- sèment la discorde dans votre entourage;
- profitent de vous et de vos proches sans vergogne;
- exigent que l'on fasse leurs quatre volontés;
- se plaignent sans raison;
- critiquent vos habitudes, vos biens, vos amis;
- passent trop de temps chez vous et, souvent, s'enfuient avec la coutellerie;
- lorsqu'ils partent, vous êtes tellement épuisé que vous ne ressentez même pas de soulagement.

C'est exactement ce qui se passe avec vos pensées; celles qui sont négatives s'invitent, critiquent, restent trop longtemps et profitent de vous. Mais pourquoi continuez-vous à les recevoir, à les accepter? Si des personnes se conduisaient comme les intrus que nous avons décrits précédemment, vous feriez en sorte qu'ils ne reviennent plus jamais chez vous. Votre tête est la maison de votre esprit: vous y invitez les pensées que vous voulez.

Alors, pourquoi vous laisser envahir par des pensées qui s'introduisent par effraction – et surtout continuer à les nourrir? Il n'est peut-être pas facile de se débarrasser des intrus, mais c'est possible. Il en va de même avec les pensées indésirables.

C'est votre tête après tout, vous devez décider de permettre aux pensées qui vous conviennent d'y séjourner, à celles-là et seulement celles-là.

Vous trouvez que c'est irréaliste d'affirmer votre autonomie de pensée? Réfléchissez soigneusement aux énoncés suivants. Ils vous surprendront sans doute, vous choqueront peut-être, mais la vérité surprend et choque parfois.

- **Vous ne pouvez dépendre des autres que tant et aussi longtemps que cela leur plaît.** Le jour où votre dépendance ne fera plus leur affaire, ils vous laisseront tomber. N'est-il pas préférable de ne dépendre que de vous-même? Vous savez que vous ne vous abandonnerez pas, c'est impossible.

- **Il faut se rappeler que chaque être humain a ses propres intérêts à cœur avant tout.** C'est la réalité, ce qui n'implique pas que vous deviez trahir les autres. Mais vos propres intérêts doivent rester votre priorité.

- **Trop souvent, la générosité cache un prix très élevé.** Parfois, les personnes qui nous apparaissent très généreuses désirent nous mettre en esclavage, car jamais nous ne pourrons les payer en retour.

Rester maître de soi

En conséquence, il faut chercher le plus possible à rester maître de soi. Mais «maître de soi» signifie aussi vivre dans le présent, cesser de pleurer le passé et d'être obnubilé par le futur.

Il faut capturer l'instant présent, celui où l'on peut changer quelque chose, décider de mettre les intrus à la porte. C'est dans le présent que l'on maîtrise son destin parce que c'est le seul moment où vous pouvez agir véritablement.

Pour découvrir qui vous êtes, vous apprenez à vous désassocier de vos possessions et de vos réalisations, de vos peines et de vos joies. Toutes ces choses existent à l'extérieur de vous; vous n'êtes pas vos émotions, vous *éprouvez* des émotions.

Examinons plusieurs énoncés qui vous aideront à vous situer dans votre vie et vous guideront sur la voie de la réflexion à emprunter pour être en mesure de mieux affronter les bouleversements de votre vie.

- *Où que vous soyez, il vous est possible d'avancer.*

  Vous n'êtes pas obligé de faire un grand pas vers l'avant, mais vous devez bouger, changer votre position et votre angle de vue.

- *L' évolution n'est pas une compétition.*

  Évoluez à votre propre rythme; chaque personne possède un rythme différent; il n'existe pas de fil d'arrivée à franchir avant tout le monde. Ce n'est pas un concours. Votre seul prix est la satisfaction de vous sentir plus à l'aise avec vous-même.

- *Lorsque vous prenez une décision, il n'existe qu'une alternative: tomber juste ou tomber à côté.*

  Si vous tombez juste, c'est magnifique; si vous êtes à côté, si vous vous êtes trompé, réalignez-vous et recommencez. Rome ne s'est pas bâtie en un jour, et votre vie non plus !

- *Un bouleversement doit être perçu comme un signal de transformation d'une réalité qui ne vous convient plus.*

  Il faut cesser de voir un bouleversement comme une punition provenant de l'extérieur ; personne n'est là en train de se réjouir du bon tour qu'on vous a joué. Un bouleversement provient de vos besoins ignorés, non satisfaits.

- *Toutes les pensées définitives que vous entretenez proviennent de votre faux moi.*

  Lorsque vos convictions sont coulées dans le béton, méfiez-vous d'elles; l'étroitesse d'esprit vous enferme dans un carcan qui vous étouffe et vous maintient dans le malheur.

- *Le découragement ne peut vous guider hors du tunnel.*

  Rappelez-vous qu'il vaut mieux allumer une chandelle que de maudire l'obscurité ! Céder au découragement vous enlise dans les sables mouvants de vos problèmes. Vous *n'êtes pas* vos problèmes.

- *L'égoïsme vous empêche de vous sentir une personne à part entière.*

  Vous n'avez pas le temps de voir qui vous êtes lorsque vous êtes préoccupé constamment par ce qui vous manque.

- *Faire quelque chose qui vous déplaît en vue d'obtenir une récompense n'en vaut pas la peine.*

  Vous allez vous détester par la suite et votre supposée récompense vous rappellera sans cesse que vous vous êtes trahi pour l'obtenir.

- *L'éveil de votre spiritualité est une affaire personnelle.*

  Vous pouvez consulter, demander des avis, mais, de grâce, ne laissez pas les autres décider pour vous.

- *Un malaise cache souvent le désir profond de vous libérer de tous les malaises de votre vie.*

  C'est assez paradoxal qu'un désir profond, légitime, se cache sous une douleur, comme si nous avions honte de vouloir nous libérer de ce qui nous entrave.

- *Les souvenirs tristes n'existent pas: ils sont dans le passé.*

  Ne vous privez pas de vivre le présent en traînant votre passé comme un boulet.

- *Le véritable amour est gratuit; il ne dépend pas de ce que vous donnez ou recevez, il existe pour vous faire plaisir.*

  L'amour véritable ne vient pas avec une étiquette de prix! Il ne demande pas que vous changiez qui vous êtes, que vous mettiez de côté vos convictions profondes; le véritable amour ne cherche pas à vous dominer, il vous aide à grandir, à transcender votre nature.

- *Ne craignez pas de vous placer dans une situation inconnue par simple crainte de ne pas savoir comment réagir.*

  Accepter de vivre l'inconnu, c'est le meilleur moyen d'exercer votre créativité, votre esprit d'indépendance et votre faculté de survivre. Et puis, vous risquez d'y rencontrer d'heureuses surprises...

- *Si vous tombez, regardez au-dessus de vous pour voir les étoiles.*

  Ne vous enfoncez pas la tête dans le sable; regardez en haut, scrutez les étoiles, voyez comme elles brillent. Reprenez confiance en votre bonne étoile.

- *Si vous ne connaissez pas votre destination, vous ne serez pas déçu.*

  Ayez du plaisir pendant le trajet et profitez des merveilleux paysages qui s'offrent à vous. S'ils ne sont pas beaux, vous pouvez toujours vous consoler: vous avancez et la route va changer très bientôt.

- *Comme vous êtes lié à ce qui vous conduit, prenez les commandes.*

  Ne laissez pas les autres prendre la direction de votre vie, car vous n'aimerez peut-être pas l'endroit où ils vous conduiront.

- *La vérité n'a rien à voir avec la suffisance.*

  Un être suffisant ne possède pas la vérité, bien au contraire: sa suffisance l'empêche de reconnaître la vérité.

- *Votre moi véritable n'est pas un cadeau que vous devez mériter, il s'agit de l'essence de ce que vous êtes.*

  Méfiez-vous de ceux qui vous prometttent de rencontrer votre moi véritable si vous suivez des cours, si vous payez le prix fort. Pour percevoir votre moi véritable, il suffit de faire taire votre faux moi et ses exigences.

- *Prier pour obtenir une faveur et ensuite oublier de remercier est impardonnable.*

  Il faut rendre grâce pour ce que nous avons et ne pas nous imaginer que Dieu est un simple pourvoyeur de biens.

- *Pour découvrir votre moi véritable, cessez de le chercher et donnez-lui la chance de poindre.*

  Vous êtes qui vous êtes; écartez les artifices et osez vous montrer sous votre vrai jour.

- *Lorsque vous venez en aide à quelqu'un, assurez-vous de ne pas sanctionner son malheur.*

  La pire façon de venir en aide à quelqu'un, c'est de l'assurer qu'il est légitime d'être malheureux.

- *La vérité n'est pas immuable, elle change avec vous.*

  La vérité se transforme selon votre évolution, vos besoins et vos aspirations. Ce n'est pas un bloc de granit sur lequel vous devez vous écraser ou vous appuyer.

- *La transformation véritable provient de l'intérieur.*

  Elle ne provient pas des changements et des bouleversements dans votre vie.

- *Vous pouvez laisser mourir votre chagrin ou vous laisser mourir de chagrin.*

  C'est à vous de décider...

- *Lorsque vous vous laissez guider par votre vrai moi, vous n'êtes plus en conflit avec vous-même.*

  La principale caractéristique du faux moi est l'incohérence; rien n'est jamais satisfaisant malgré les promesses que tout va changer sous peu.

- *Avant de découvrir qui vous êtes, vous devez accepter qui vous n'êtes pas.*

  Il faut faire le ménage dans vos perceptions, vos idéaux, vos objectifs, afin de voir réellement quel merveilleux être humain se cache sous vos préjugés.

- *La persévérance vous permet de passer outre la stupidité.*

  La stupidité est votre pire ennemie; elle vous fait abandonner lorsque vous êtes sur le point de résoudre un conflit ou de réaliser un rêve.

- *Pour finalement voir la lumière, il faut cesser de craindre l'obscurité.*

  La crainte de l'obscurité vous empêche de voir la petite lueur qui se cache en chacun de vous.

- *Il n'est pas nécessaire de souffrir pour faire de votre mieux.*

  Bien faire quelque chose n'implique pas que vous deviez souffrir en l'effectuant; cela vous empêche tout au plus de vous concentrer sur votre travail. La souffrance prend de l'énergie que vous pourriez consacrer à la tâche en cours.

- *Lâcher prise signifie changer de direction et non renoncer.*

  Vous n'êtes pas tenu de renoncer au monde, mais aux convictions qui vous empêchent d'avancer et vous gardent dans un passé douloureux.

- *Laissez aller vos pensées négatives au lieu de les combattre.*

  Lorsqu'on combat ces pensées qui nous assaillent, on leur accorde plus d'importance qu'elles n'en ont réellement.

- *Si vous voulez avancer, tracez votre propre route.*

  Vous seul savez où vous désirez aller; ne laissez pas aux autres le soin de tracer votre itinéraire. Ce serait vous couper de 50% du plaisir du voyage!

- *Lorsque vous optez pour la vérité, vous optez pour l'évolution.*

  C'est à ce moment que vous pouvez vraiment connaître vos possibilités et votre destinée.

- *La défaite n'est qu'un souvenir.*

  Elle se situe dans le passé, qui est derrière vous: cessez donc de le traîner partout.

- *La patience est la pierre angulaire de notre moi véritable.*

  Au contraire du faux moi, le moi véritable n'a pas besoin de tout réaliser vite et sur-le-champ. L'existence est un voyage qui prend toute une vie.

- *Pour ressentir le calme, il faut savoir libérer vos voix intérieures.*

  Il faut les libérer et les laisser vous inspirer de façon sereine.

- *Au moment où vous admettez une erreur, vous faites un pas vers la vérité.*

  En effet, c'est à ce moment que vous refusez l'obscurité et que vous allumez votre première chandelle pour chasser les ténèbres.

- *Lorsque vous êtes guidé par la vie, elle partage sa force avec vous.*

  La force de la vie est la plus importante de toutes; lorsque vous décidez de vous allier avec elle, les barrières tombent.

- *La mort n'engendre que la décrépitude, alors que la vie engendre la vie.*

  Cela peut paraître un peu simpliste, mais c'est tellement vrai. Lorsque vous cessez de bouger, votre corps et votre esprit s'ankylosent et vous devenez paralysé, incapable de fonctionner. La vie bouge constamment; elle arrive même à engendrer la vie à partir de la décrépitude de la mort. Dire oui à la vie, c'est affirmer que vous êtes vivant.

- *Ne vous imposez pas le silence, mais cherchez vos réponses dans celui-ci.*

  C'est lorsque votre esprit est calme que survient l'illumination qui vous permet de trouver la solution à vos problèmes.

- *C'est dans l'attente que vous pouvez préparer votre nouveau départ.*

  Tant que vous courrez à droite et à gauche, il vous sera impossible de savoir quelle direction prendre. Asseyez-vous quelques instants, réfléchissez et vous pourrez ensuite repartir du bon pied.

- *La vérité peut triompher de tout à la condition que vous lui en donniez la chance.*

  La vérité peut changer et s'adapter aux nouvelles conditions de votre évolution; vous pouvez la reconnaître et vous laisser guider par elle.

Conclusion

Le défi ultime

Pour vraiment tirer profit des bouleversements qui surviennent dans notre vie, il faut en quelque sorte reprogrammer notre esprit. C'est d'ailleurs l'essentiel des techniques et des exercices que nous vous avons transmis. Il faut faire table rase de tous ces préjugés qui nous collent à la peau et à l'esprit. Comment? En commençant par cesser de répéter ces affirmations et ces dictons populaires, et en n'y croyant plus. Pensez simplement à ceux qui atteignent la prospérité. Ils ne parlent que d'argent, et, bien sûr, de façon péjorative. En voici des exemples.

- L'argent ne pousse pas dans les arbres.
- L'argent est la source de tous les maux.
- Les riches sont des escrocs.
- Quand on est né pour un p'tit pain.
- L'argent se dépense plus vite qu'il se gagne.
- On ne peut gagner beaucoup d'argent sans vendre son âme.
- Les plus grands artistes étaient pauvres.
- On ne peut être riche et honnête en même temps.

On pourrait continuer la liste à l'infini, y ajouter les dictons qui concernent le bonheur, l'amour, la paix, et nous en trouverions tout autant d'aussi bêtes. Mais ces petites phrases vous permettent de comprendre le genre d'affirmation dont nous parlons.

Il faut cesser de répéter n'importe quoi pour le plaisir de s'entendre dire quelque chose. Car, même si nous n'y croyons pas nécessairement au début, l'idée finira par s'incruster en nous.

Faites le ménage dans votre esprit et dans votre maison. Ne vous encombrez plus de choses inutiles, de vieux concepts, de vieilles idées. Faites de la place et laissez entrer de nouveau la prospérité, le succès, le travail et les bonnes relations.

Les bonnes relations ! Il faut commencer par balayer nos préjugés, bannir les commentaires négatifs de notre langage dans nos relations avec les autres, avec nos proches, avec nos amis intimes. Éliminons les phrases qui ressemblent à :

- il n'est jamais content ;
- je n'arrive pas à lui faire plaisir ;
- chaque guenille trouve son torchon ;
- quoi que je fasse, ce n'est jamais assez ;
- s'il agit ainsi, c'est que je le mérite sans doute.

En tenant de tels propos, vous aurez perdu la partie avant de l'avoir commencée. Et c'est la même chose avec le succès. Oubliez ceux qui ressemblent à :

- cela n'arrive qu'aux autres ;
- je ne serai jamais le meilleur ;
- tout ce que j'entreprends ne mène à rien ;

- il suffit que je commence quelque chose pour que cela n'intéresse personne.

Comment voulez-vous connaître le succès avec de tels propos? C'est déraisonnable, illogique! Vous n'avez d'ailleurs pas, non plus, à être le meilleur. Il suffit de faire le mieux possible, selon vos capacités. Dans la majorité des cas, vous serez surpris des résultats.

Voici des exemples de propos tenus en ce qui concerne le travail.

- Les patrons ne sont jamais satisfaits.
- Je suis sous-payé.
- J'ai horreur de mon travail.
- Personne n'apprécie ce que je fais.
- Mes collègues rient de moi.
- Je ne fais jamais rien de correct.
- Je n'irai certainement pas à l'école pour apprendre autre chose.

Si vous tenez systématiquement ce type de discours, vous devriez changer votre attitude. Tant que votre attitude ne changera pas, vous ne trouverez pas de travail satisfaisant. Cherchez ce qui vous déplaît en vous, ce qui vous cause des problèmes. Ensuite, vous arriverez à trouver le genre de travail qui s'accorde avec votre moi véritable.

Relevez le défi!

Toutes ces phrases relevées précédemment vous ont peut-être fait sourire, mais il faut aller au-delà et nous rendre compte que même si nous les prononçons sans vraiment y réfléchir, elles font partie de ce que nous sommes. Elles sont un frein. Cependant, cessons de freiner si nous voulons avancer. Les bouleversements ne sont pas des accidents, mais des carrefours qui nous permettent de prendre une nouvelle route lorsque cela devient tout à coup nécessaire. Cette nouvelle route, c'est pour nous conduire vers notre véritable moi : celui avec lequel nous serons heureux de passer le reste de nos jours !

Ne vous dévalorisez pas par des phrases comme :

- je suis horrible physiquement;
- je ne suis pas vraiment intelligent;
- je n'ai pas de charme.

Ne vous concentrez pas sur des peurs comme :

- j'ai peur de tomber malade;
- j'ai peur de perdre mon emploi;
- j'ai peur de grossir;
- j'ai peur de trop maigrir.

Cessez *immédiatement*. De quel droit vous rabaissez-vous ainsi ? Jamais vous n'oseriez traiter quelqu'un d'autre comme vous le faites pour vous. Et pourtant, vous êtes la seule personne à avoir réalisé autant de choses pour vous-même.

- Vos pieds vous conduisent partout où vous voulez aller.

- Vos yeux vous permettent de voir le monde qui vous entoure.
- Vos oreilles vous donnent accès à la musique, à la voix des autres.
- Votre corps vous permet d'expérimenter des sensations tactiles incroyables.
- Votre nez vous fait saisir l'essence d'une rose.
- Votre bouche vous fait connaître les plaisirs gastronomiques.
- Votre cœur bat dans votre poitrine et vous maintient en vie.

Pensez à toutes ces choses merveilleuses qui sont possibles.

Se libérer du jugement des autres

Au lieu de vous critiquer, approuvez les progrès que vous effectuez. Transformez les affirmations négatives par des énoncés positifs.

Au lieu de dire: «Personne ne m'aime», dites plutôt: «Où que j'aille, je trouve de l'amour.»

Par votre attitude, vous transformez ainsi ce que vous êtes. Les gens ne vous sauteront pas au cou en vous voyant, mais, si votre attitude change, la leur changera aussi. Le langage de notre corps indique aux autres ce que nous voulons, ce que nous attendons d'eux. Si vous souriez, les autres vous souriront automatiquement.

Goûtez la vie. Prenez le temps de vous faire plaisir. Offrez-vous un massage: c'est une expérience extraordinaire pour votre corps et votre esprit. Allez chez le coiffeur; achetez-vous de nouveaux vêtements. Octroyez-vous des récompenses. Les autres sont un miroir: si vous êtes attentif à vos besoins, eux aussi y deviendront attentifs.

Bien sûr, c'est votre choix, votre décision; ne laissez pas aux autres le soin de vous dicter vos besoins. Qu'en savent-ils? Qu'en connaissent-ils? Vous êtes l'ultime expert en ce qui concerne vos besoins, vos attentes.

À mesure que vous apprendrez à vous aimer, à vous respecter, vous ferez une découverte fantastique. Vous vous rendrez compte que c'est bien d'être en votre propre compagnie, que vous valez la peine de vous connaître. C'est tellement plus agréable de vivre avec quelqu'un qu'on aime et qu'on estime!

Une fois que vous aurez fait cette constatation, le monde vous appartiendra. Vous n'aurez plus besoin de cacher vos imperfections, elles feront votre charme. Vous n'aurez plus à cacher vos manques; ils n'existeront pas, car vous serez ouvert aux changements et prêt à apprendre de nouvelles choses.

Imaginez. Vous pouvez ressentir des sentiments sans vous laisser étouffer par ceux-ci; vos émotions ne vous dirigent plus, car vous faites la différence entre vous et elles.

Vous avez atteint un point d'équilibre qui vous permettra de passer au travers des pires bouleversements car, tout compte fait, l'important est ce que vous portez en vous. Le reste peut changer, alors que votre moi véritable évolue, mais tout en étant toujours là.

Enfin, une fois que vous vous êtes retrouvé, vous n'êtes plus jamais seul et vous pouvez triompher de tous les bouleversements qui surviendront sur votre chemin. Car ce ne seront plus des bouleversements, mais des changements dont vous saurez dorénavant tirer profit.

Table des matières